©Les Éditions du passage
1981, av. McGill College, bur.1440
Montréal (Québec), H3A 2Y1
Tél.: (514) 849-2793
téléc.: (514) 849-7104

Diffusion pour le Canada:

PROLOGUE
1650, boul. Lionel-Bertrand,
Boisbriand (Québec), J7H 1N7
Tél.: (450) 434-0306
téléc.: (450) 434-2627

Données de catalogage avant publication
(Canada)

Homel, David, 1952
Bouchard, Serge, 1947
Huston, Nancy, 1953

Jamais de la vie: écrits et images sur les
pertes et les deuils

Comprend des réf. bibliogr.

ISBN 2-922892-00-X

1. Deuil.
2. Perte (Psychologie).
3. Travail de deuil.
4. Deuil — Ouvrages illustrés.
5. Deuil — Romans, nouvelles, etc.

BF575.G7J35 2001
155.9'37
C2001-940514-6

DÉPÔT LÉGAL:

Bibliothèque nationale du Québec
Bibliothèque nationale du Canada
2ᵉʳ trimestre 2001

Jamais de la vie

ÉCRITS ET IMAGES SUR LES PERTES ET LES DEUILS

Les éditions du passage

Préface

Je me souviens du sentiment douloureux et chaud, presque joyeux qui m'a habitée dans les jours qui ont suivi la mort de ma grand-mère. C'était joyeux parce que le moment d'intimité que j'ai vécu alors me reste en mémoire comme un des plus forts moments de ma vie, de mon histoire. J'étais recroquevillée et silencieuse et pleine de sa présence qui ne s'était pas encore effacée. Je sais que je penserai à elle le moment venu. Elle m'aura en quelque sorte ouvert le chemin.

Ce livre a donc sa source, en partie du moins, dans l'amour que je portais à ma grand-mère, mais il est également issu de mon désir de protester contre la mort, surtout celle des enfants et, en particulier, contre la mort d'une enfant d'à peine quinze ans. Cette enfant s'appelait Laurence. Elle est morte en pleine jeunesse, ma grand-mère en pleine vieillesse.

Protester contre la mort parce que l'amour de la vie y puise sa limite, sa peur, parfois son effondrement. Protester parce que la mort ignore l'ordre des choses. S'il arrive que la mort emporte les enfants, il arrive aussi que les enfants se donnent la mort. Un jeune homme du nom de David Chiasson a écrit quelque temps avant de se suicider: «Je suis vide. Comme un bain vide. Depuis longtemps. Qui persisterait à vouloir perdre son eau. Qui se viderait jusqu'à l'impossible...»

La mort n'est pas l'antidote du vide. Mais, comment assouvir ce besoin d'être moins seul, comment échapper au manque?

Dans l'espace de la parole partagée réside un espoir. Du moins le souhaitons-nous. On ne fait pas l'économie de la mort. Aussi bien accepter de la nommer, de dire qu'elle vient toujours en son heure et qu'il n'est pas nécessaire d'aller au-devant d'elle.

Le chemin qui mène de la protestation à l'acceptation est loin d'être facile. Mais la vie se charge de nous l'enseigner: perdre est une habitude à prendre. Il ne reste plus qu'à tenter d'être moins seul avec cette peine qui nous constitue.

Ce livre recueille les textes et les images de plusieurs personnes — écrivains, médecin, juriste, philosophe, anthropologue, psychanalyste, étudiants, photographes, reporters, artistes anciens et contemporains — qui disent la mort d'un être qu'elles ont aimé, la peine d'amour, la perte des illusions, l'avortement, la liberté perdue dans l'emprisonnement.

Nous avons voulu tisser les voix, multiples et différentes, de ces gens pour qu'ensemble elles chantent la douleur et la beauté de vivre. Même avec la mort au bout du chemin et malgré la souffrance. Nous n'avons pas voulu pour autant faire l'apologie des bons sentiments. Nous avons pris le parti de laisser à chaque personne le choix de traiter un thème qui lui était significatif. Certains textes sont de l'ordre du témoignage, d'autres se rapprochent de la fiction. De façon générale, les sentiments évoqués sont plus près de la tristesse mais quelques auteurs ont exploré l'envers des choses, la colère, l'ambivalence, une certaine folie et jusqu'au désir de tuer qui cache peut-être le refus d'un deuil à faire.

Tous, nous sommes aux prises avec cette réalité: nous sommes mortels, ceux que nous aimons le sont aussi. Nous passons notre vie à jouer au «chat et à la souris» avec cette évidence à laquelle il nous plairait d'échapper. Mais quelque chose nous rattrape ou nous précède, quelque chose qui ressemble à l'angoisse, au mal-être.

La fuite est sans issue. Alors peut-être faut-il oser rester là où nous sommes et entendre le son de notre voix la plus intime. La souffrance d'autrui n'est pas si loin de la nôtre. Chacun, dans la solitude de son destin, peut y rencontrer l'autre et même si la rencontre est furtive, sentir de nouveau la vie suivre son cours.

Je remercie les auteurs, les artistes et tous ceux qui ont contribué à la réalisation de cet ouvrage pour leur générosité et leur courage: dire sa peine, que ce soit directement ou sous le couvert de la fiction, ce n'est jamais simple puisqu'il s'agit d'admettre sa vulnérabilité.

Freud terminait son essai intitulé *Considérations actuelles sur la guerre et sur la mort* ainsi: «Supporter la vie reste bien le premier devoir de tous les vivants. L'illusion perd toute sa valeur quand elle nous en empêche. Rappelons-nous le vieil adage: *Si vis pacem, para bellum*. Si tu veux maintenir la paix, arme-toi pour la guerre. Il serait d'actualité de le modifier: *Si vis vitam, para mortem*.»[1]

Jamais de la vie c'est à la fois un cri qui dit non et qui veut apprendre à dire oui, oui à la vie, malgré toute la peine qu'elle charrie.

Jocelyne Légaré

---

1. Freud, Sigmund, «Considérations actuelles sur la guerre et sur la mort», *Essais de psychanalyse*, traduit de l'Allemand par Pierre Cotet, André Bourguignon et Alice Cherki, Éditions Payot, 1981, p. 40.

La Vierge et l'Enfant
Titien

François Roustang

Deuil impossible

Si quelqu'un venait me voir ayant perdu un enfant et me demandait de l'aide, que ferais-je? Cela m'est arrivé il y a des années. Un fils adolescent avait été victime d'un accident de la route. Le père arrivait chez moi comme un naufragé qui se serait agrippé à moi pour ne pas sombrer. Son désespoir et la confiance démesurée qu'il mettait en moi m'avaient submergé. J'avais été incapable de lui donner un autre rendez-vous et l'avais envoyé chez quelqu'un de plus solide.

Peut-être qu'aujourd'hui, ayant davantage de doutes sur mes propres capacités à tenir une place semblable à celle qu'il voulait me voir prendre et devenu plus modeste sur les bénéfices que quelqu'un peut trouver à venir me voir, je me serais contenté de le laisser m'utiliser à sa guise. Car, s'il y a une chose que le temps et quelque expérience ont pu m'apprendre, c'est qu'il faut pouvoir supporter d'être démuni. En une telle circonstance, aucune ressource n'est à attendre des techniques diverses auxquelles j'ai pu être initié. Il n'y a rien à faire et rien à dire. Cette mort est insensée parce qu'elle a été provoquée par le comble de la bêtise et surtout parce qu'elle va à l'encontre de la suite ordinaire des générations. Elle nous plonge dans l'incompréhension de notre statut d'être humain. Événement insupportable, pas seulement incompréhensible, mais impossible à intégrer. Ce n'est pas comme dans l'enfance où nous n'avions aucun moyen de réagir, c'est dans l'âge adulte quelque chose qui dépasse l'entendement: la vie à l'envers, l'impossible à replacer dans une harmonie élémentaire.

Face à pareil désastre, il n'est aucun mot et aucun geste qui puissent sonner juste. Il nous est interdit de proférer une parole, car notre interlocuteur est dans l'insupportable, dans un chagrin qui ne peut se dire que par les pleurs répandus ou retenus. Lui dire que l'on comprend sa peine serait incongru, lui dire qu'on la partage serait une sorte d'injure. Même si nous sommes atteints par cette peine, nous devons nous souvenir que nous sommes étrangers à ce malheur, que nous ne pouvons ni le ressentir ni l'imaginer. Il ne nous reste qu'à nous taire.

Et pourtant il faut bien dire quelque chose, ne serait-ce que parce que toute présence humaine implique le langage. Mais, en même temps, la parole ici, pour ne pas heurter la souffrance, doit demeurer proche du silence. Silence interrompu par quelques mots, des mots sobres, retenus, incertains, des mots qui vont amplifier le silence. Ce silence devient alors une sorte d'enveloppement qui respecte la place et l'état de l'inter-locuteur, il est une atmosphère chaleureuse et intense qui épouse toutes les nuances de la peine, mais aussi de la force qui va éviter l'effondrement. Ces quelques mots prononcés, qui parfois se contentent de répéter les formules des rites les plus anciens, doivent retourner sans cesse à cette présence tacite qui leur sert de creuset. Un silence qui remonte de la plus simple et de la plus profonde humanité, celle qui ne guérit pas de la solitude, mais qui lui redonne le goût de l'être ensemble.

Permettre à celui qui est accablé de vivre son malheur sans chercher d'abord à en sortir. J'ai assisté un jour à l'enterrement d'un jeune homme. Les parents avaient voulu que soit chanté le Magnificat. Sans doute pensaient-ils affirmer leur foi en l'existence d'un au-delà et puisqu'ils avaient choisi cette façon de prononcer comme une première acceptation, ils avaient leurs raisons. C'était une coutume récente qu'ils n'avaient pas inventée eux-mêmes et qu'il fallait tolérer. Mais, bien que très jeune alors, cette manière de sauter par-dessus la peine m'était apparue comme une fuite devant le choc de l'événement. Ce n'était pas le moment d'entonner un cantique de joie. Ne pas aller trop vite, mais laisser du temps pour que soit habitée l'injustice du destin et qu'un espace soit laissé à la révolte inévitable.

Ensuite peut-on espérer que celui ou celle qui a perdu un enfant puisse desserrer quelque peu le nœud qui lie la souffrance et la fidélité à la mémoire? Il semble tout d'abord que ne plus être accablé serait comme renier l'attachement à celui ou celle qui s'en est allé. Il faut que tout à chaque instant nous rappelle l'absence. Rien ne doit être modifié de l'espace habité par l'enfant perdu. La vie doit s'arrêter. De la part de l'interlocuteur, il est impossible de brusquer les choses. Peu à peu cependant le temps pour pleurer peut faire place à un temps pour revivre. Un jour vient où cette perspective est tolérable, où la blessure se referme, même si les cicatrices restent à jamais sensibles. Oser apprendre à laisser l'oubli faire son œuvre. Un oubli qui garde en mémoire, mais qui apaise le souvenir. Le malheur entretenu n'est plus le garant de la fidélité. On n'accepte pas l'inacceptable, on le laisse seulement faire son œuvre. Il transformera l'existence tout entière, mais il n'empêchera plus de vivre.

Louise Mailhot

Une fêlure dans le cœur

«En moi est entré le mal d'amour comme un poison mêlé de miel.
Je m'en suis délecté sans savoir, et dans ce délice était la mort!»

Al-Mutanabbi (Iraq) (915-965)

Il portait toujours sur lui des mouchoirs de lin fin, bleus avec de petites rayures fines et blanches en forme de croix. Ils étaient toujours repassés et pliés en quatre quand il les sortait de la poche arrière droite de son pantalon pour me les offrir. Ce jour-là, il fit le geste cinq fois, dix fois je ne sais. Toujours avec la même douceur, la même tendresse dans le partage de ma peine, comme pour l'encourager. Un geste d'amour. À chaque fois, surgissaient les sanglots silencieusement, longuement, seul dérivatif à ma douleur.

Comme toute chose vivante, le chagrin meurt. Il faut attendre la fin de la tempête. Elle finit toujours.

Drops of rain
White Clarence Hudson

Laurent-Michel Vacher

De l'existence et de sa fin[1]

LUI était brutalement tombé malade, et la médecine venait de lui révéler qu'il ne lui restait que peu de temps. Ils firent ce jour-là leur dernière petite promenade, après quoi LUI fut pratiquement confiné à la maison.

LUI — Je ne souhaite ça à personne.

L'AUTRE — Si on allait manger un morceau?

— Je n'ai pas très faim, tu sais.

— Dis-moi, mon pauvre vieux, comment tu prends tout ça?

— Franchement, d'une certaine manière je suis déçu. Tout va trop vite — ou pas assez, en même temps, si tu saisis ce que je veux dire.

— Bon, allez, qu'est-ce que tu aimerais faire?

— Ah, ça, c'est une bonne question!

---

1. Ce texte a été publié en première édition dans: Vacher, Laurent-Michel, *Dialogues en ruine*, Montréal, Éditions Liber, 1996.

Eh bien, tu vois, j'aimerais tout simplement faire comme d'habitude: marcher un peu; parler un peu avec les copines et les copains; lire un peu le *Times Literary Supplement* ou la *New York Review of Books*, Baudelaire, Saul Bellow, Heiner Müller ou Alexandre Vialatte; travailler un peu, si seulement j'en étais capable, travailler toujours et encore, car on travaille jamais assez; écouter un peu de Beethoven, de Schœnberg ou de Reich; regarder un bon film d'Altman ou Hartley; me sentir aussi libre et vrai que je peux; réfléchir un petit coup peut-être (mais pas trop, parce qu'en ce moment, tu comprends, j'ai tendance à ruminer); serrer très fort dans mes bras la femme que j'aime; siroter un verre de vin blanc bien frais; fumer une bonne Camel (ça va plus changer grand-chose). Et puis, j'aimerais revoir la mer.

Bref, rien de bien compliqué: être moi-même et faire ce que j'aime. Car c'est la seule chose qu'il y ait, retiens ça, même si c'est banal et presque idiot: *faire ce qu'on aime*, mon vieux le Fou, et donner librement le meilleur de soi. Si tu y tiens, tu peux appeler ça trouver un sens à la vie. C'est ce qu'il y a de plus élémentaire, mais aussi de plus difficile. Compte autour de toi les personnes qui aiment ce qu'elles font, qui s'évertuent à se rendre vraiment utiles, qui ne s'adonnent qu'à ce qui les passionne, et tu verras que tes deux mains risquent de suffire.

Comme tu vois, je ne suis pas devenu mystique, je n'ai pas changé, je ne me suis pas mis subitement à croire en Dieu ou en la réincarnation ni rien de tout ce caca du «nouvel âge» qui s'étend autour de nous comme une sale tache. Je pense toujours que ça va se terminer là et point final: quand on est mort, c'est comme... on est bel et bien mort.

Mais ce que je comprends chaque jour, chaque minute un peu mieux, c'est qu'il nous faut tout bonnement accomplir avec intensité et ferveur ce qui nous tient à cœur, travailler fort et sans relâche à ce qu'on croit pouvoir réaliser de mieux, éviter de perdre notre temps à ne rien faire de bon pour personne, et mettre à profit généreusement, vigoureusement, farouchement, le moment qui passe.

C'est tout en somme. Mais tu sais, c'est beaucoup — beaucoup plus qu'on ne croit.

Durant ces jours atroces, ce que L'AUTRE trouva le plus déchirant, ce fut la certitude que LUI ne reverrait pas la mer. Un mois plus tard, il ne restait de LUI qu'une urne dans un salon funéraire, et L'AUTRE était inconsolable.

Eve-Barbara Robidoux

Serge Bouchard

La mort est un chat

Tout meurt, les morts aussi. La mort est le lieu commun par excellence. Je la vois telle une fosse commune qui reçoit indifféremment les uns comme s'ils étaient les autres, une fosse insensible qui se joue des distinctions et qui nous réunit tous dans une sorte de renversante banalité. La mort est folle et il me semble évident qu'elle ne sait pas vivre. Elle fauche dans le tas, elle est aussi aveugle que l'amour. Elle est animale, pour ne pas dire cruellement naturelle. César mort est un mort commun. Le poignard qui le tue ne sait pas qui il tue. L'empereur rejoint son soldat dans la simple posture de l'homme terminé.

Si le non-dit a un sens, les morts en disent beaucoup par l'épaisseur de leur silence. L'agenda des morts est infiniment simple. Ils entrent tous en réunion sans échéance aucune. La fin des échéances est une fin de dette, un acquittement, une quittance, une libéra-tion. Car la mort est vivante, c'est cela son secret. La seule mort que nous connaissions, c'est bien celle de la vie.

Quand la mort se rapproche de nous, c'est comme une porte qui s'ouvre. Impossible de décrire le courant d'air. La mort nous silence en effet, elle fait le calme inquiétant. La mort ne se cache pas, mais elle conserve son secret. Nous la voyons depuis toujours mais nous n'en avons jamais rien su. La mort est tellement ordinaire.

*   *   *

J'ai su plusieurs années avant toi que tu ne pouvais pas échapper à ton destin. La mort était là, un chat tenant la souris, mais un chat souverain, sans inquiétude, ne craignant pas d'être inquiété, regardant ailleurs, griffant une fois, mordillant une autre, faisant comme si la chose ne l'intéressait plus. La mort s'est amusée de toi, pendant des années. Elle n'avait pas à se presser, elle te tenait.

Je me souviens des premiers mots de la sentence: cancer, infiltrant, croissance rapide, sein, carcinome, chances de survie et tout ce qui change tout. Le premier soir, chez nous à la noirceur, tu as pleuré dans mes bras. Tu m'as dit: cancer, ce n'est pas rien? Tu avais 34 ans. Nous étions en janvier et jamais un janvier ne m'a paru si froid.

Malgré la présence familière de la mort, nous allions vivre des années sans la désigner, sans la pointer du doigt. Crier à la mort, cela ne se fait pas.

Tout commença par une tumeur, grosse comme une balle de golf, disions-nous. C'était une balle de fusil. Je me rappelle de ton premier cri, à ta première biopsie. Je me rappelle de cette première année de mort proche. Nous vivions avec la peur. Mais le traitement rassure, les histoires entretiennent l'espoir. Et la vie est tout entière à la vie. Il y a toujours des survivants, des miraculés, rien n'est fini tant que la partie n'est pas terminée. Tu as joué le jeu. Patiente modèle, ton caractère ne changeait pas. Tu riais, tu parlais, tu vivais. Je me souviens de ta mauvaise humeur parce que le point marquant la cible de radiothérapie était indélébile sur ta peau. Tu pensais à ta peau. Tu pensais aux marques et aux cicatrices que le chat te faisait, en regardant ailleurs. Une première chirurgie t'enleva une partie de ton sein. Et tu aimais tes seins. Tu n'aimais pas tes jambes, ton nez, ton corps, mais tu aimais tes seins. On aurait dit que le chat le savait.

Une autre tumeur toucha l'autre sein, l'année suivante. Le chat te tenait bel et bien. Tu avais encore plus peur. Nous savions que la mort se faisait insistante. Mais nous nous sommes jetés avec plus de détermination dans le quotidien de la résistance. Nous commencions à nous familiariser avec l'hôpital, la clinique, les médecins, les infirmières, les autres cancéreuses. Il y avait des choses à faire, des rendez-vous, des trajets, des projets. Nous étions occupés. Tu aimais les occupations.

Tu t'es rapprochée de Marie, plus jeune que toi, mais plus avancée sur le chemin de son cancer. Vous étiez des amies de mauvaise fortune. Elle t'encourageait. Vous alliez manger ensemble, elle te faisait rire. Son optimisme confinait à l'innocence. Tu l'aimais beaucoup, autant que tu aimais la vie, le fleuve, la mer, les voyages, la neige, le monde et je ne finirais jamais la liste de tes émerveillements. Tu aimais chaque journée du temps qui passait. Je me souviens de cette seconde chirurgie, de tes pleurs, de ta peur, de ton refus de cette nouvelle marque sur ta peau. Une autre coupure, un autre mal. Mais il y avait encore la chimiothérapie, la routine du traitement, l'espérance à nourrir. Nous allions chaque mois à la clinique, une semaine durant, pendant 18 mois. Ce fut long. Chaque fois, tu en ressortais malade, nauséeuse, blême et faible. Mais tu travaillais quand même, quittant la clinique pour aller à ton bureau, maquillée, masquée.

Ces visites régulières à l'hôpital nous rapprochaient. Elles étaient inscrites à mon agenda. J'ai souvenir de ces jours sombres d'hiver où le stationnement près de la clinique était impossible et où nous nous amusions de mes manières de toujours réussir à trouver une place. Il fallait bien que je serve à quelque chose. Nous avions nos habitudes, nos façons de rire quand même, nos façons de faire et d'être simplement ensemble. Nous étions solidaires parce que cela nous rassurait tous les deux. Mettre de la vie, beaucoup de vie, dans le petit rien et dans le vide pouvait peut-être impressionner la mort?

Tu n'aimais pas ton médecin principal mais tu appréciais beaucoup l'oncologue de l'hôpital. Moi aussi. C'est durant cette deuxième année, pendant un de tes traitements, qu'il me fit venir dans son bureau. Là, il me dit que ton cas était difficile et qu'il était probable que tu n'allais pas en réchapper. Je fus assommé. Nous avons convenu de ne pas te le dire parce qu'il ne savait pas comment la maladie allait évoluer. Tout ce qu'il savait, c'est que tu allais mourir et que la médecine ne pouvait que retarder l'échéance. Nous savions, mais nous ne savions ni quand ni comment. J'ai gardé ce secret pour moi. Avec le médecin, j'étais seul à savoir. Et je n'en ai jamais parlé.

Deux années passèrent. Nous apprîmes le sens du mot rémission. Tu espérais passer le cap de cinq années sans histoire dans l'attente de te faire dire que tu étais guérie. Comme s'il fallait que tu te fasses toute petite, tranquille, discrète, pour ne pas attirer l'attention du chat. À la longue, il t'oublierait peut-être. Mais rien n'y fit. Une troisième tumeur apparut, tu venais d'avoir 38 ans. On procéda alors à l'ablation complète de tes seins. Je me souviens de ton regard, quand tu t'es réveillée après l'opération. L'irréparable s'était produit. Tu pensais plus à ton corps qu'à ta vie. Ta poitrine sanglée par un pansement en disait assez sur le vide qu'il cachait. J'ai essayé de te convaincre mais fus-je assez convaincant? J'avais peur et je savais que tu avais raison. À quoi servaient ces souffrances et ces plaies, ces chirurgies et ces amputations? Je savais que tu ne pouvais vivre heureuse sans tes seins. Et nous ne savions pas si ces sacrifices allaient servir à quelque chose.

Cinq années passèrent. Tu oubliais presque ton cancer mais tu n'oubliais pas ton corps. Selon tes propres et simples mots, tu n'étais plus une femme. Je ne pouvais t'approcher, te toucher, te regarder. Tu souffrais trop. Mais la vie continuait. À 43 ans, tu pris une grande décision.

Tu voulais retrouver tes seins. Le docteur, devenu ton ami, te le déconseillait. Moi aussi. Nous avions peur que cette opération ne réveille le chat endormi. Mais tu entendais des histoires, tu lisais des articles, tu t'informais de tout ce qui regarde la chirurgie esthétique. Tu parlais d'une nouvelle technique, brésilienne je crois, qui ne se pratiquait qu'à Toronto mais qu'un médecin montréalais avait maintenant maîtrisée.

Nous avons retrouvé ce médecin et nous l'avons rencontré. Tu décidas de te faire opérer, malgré les risques et malgré nos avis. Ce fut un désastre. Tu es restée longtemps à l'hôpital, tu fus très malade, les greffes ne prirent pas, tu développas des nécroses, le nettoyage de tes plaies te fit souffrir comme une bête et tu devais désormais vivre avec le résultat, pire qu'avant. Une année entière fut nécessaire pour te remettre physiquement de cette terrible aventure.

L'année suivante, le chat se réveilla pour une quatrième fois. Puisqu'il n'avait plus de seins pour se jouer de toi, il s'en prit à ta peau. Notre ami, le docteur, crut que c'était l'attaque finale. Il te prescrivit une lourde chimiothérapie qui te fit entièrement perdre tes cheveux. Comme tes seins, tu aimais tes cheveux et il est vrai qu'ils étaient beaux. Je me revois en train de les ramasser par terre et les faire disparaître sans que tu les voies. C'était trop triste. Mais nous avons acheté la perruque et tu t'es battue comme une tigresse. Tu devins chauve, comme moi, et nous en avons bien ri.

L'improbable se produisit: en une année et demie, tu vins à bout de ce cancer de peau. Tu avais 45 ans. Le docteur n'en revenait pas, il était fier de toi, de lui, de nous tous. Il me confia que tu étais imprévisible, atypique et qu'il avait réellement pensé que ce cancer de peau allait avoir le dernier mot. Il ne savait plus quoi penser, d'ailleurs. Tu ne répondais pas aux courbes des études, aux prévisions statistiques, aux normes de la maladie. Tu étais peut-être une souris particulière. Nous croyons tous que nous sommes des supersouris. Toi, tu commençais à en faire la preuve. Je me suis mis à croire que tu pouvais tout surmonter.

L'année suivante, ta bonne amie Marie mourut. Tu l'avais visitée la veille de sa mort et tu étais revenue à la maison complètement bouleversée. Tu avais vu la mort dans ses yeux, disais-tu, et elle était si maigre et si souffrante… À son enterrement, tu te mis à me répéter que tu allais la suivre de peu. Et tu pleurais. Je te rassurai jusqu'à ma dernière goutte d'espérance. Toi, disais-je, tu n'étais pas pareille aux autres.

À l'automne de tes 46 ans, le chat porta un coup qui montrait qu'il voulait en finir. Ce fut comme un coup de griffe dans tes côtes. Je me souviens de ce soir-là, j'entends encore, j'entends souvent ton cri de douleur. Comme si un poignard te transperçait. Nous avons pensé à un muscle déchiré, à une côte fêlée, à n'importe quoi pour ne pas penser au pire. Mais une fois devant le docteur, notre ami, il fallut se rendre à l'évidence. Le visage lui changea, comme on dit, quand il regarda les radiographies. C'était un cancer de la plèvre. Nous ne connaissions pas ce mot, cette partie du corps, mais nous l'apprîmes ce lundi-là. Disons l'enveloppe du poumon. C'est peut-être le cancer le plus douloureux qui soit en raison de la concentration des nerfs dans ces parages. Mais encore. Le bon médecin se leva, il te prit dans ses bras, toi qu'il admirait, toi qu'il connaissait si bien depuis 11 ans qu'il te soignait, et il pleura.

Ce cinquième cancer allait être le dernier. Notre ami prescrivit une chimio expérimentale, à l'aveugle, dans l'espoir d'un miracle. Nous étions en septembre. Il fallut avertir nos proches. Tu me disais: comment fait-on cela, mourir? Comment meurt-on? Tu voulais savoir comment les choses allaient se passer et je ne le savais pas. Je nous revois ensemble, dans les corridors de l'hôpital, recevant des nouvelles toutes plus éprouvantes les unes que les autres, examinant des radiographies qui se lisaient d'elles-mêmes. Je nous revois dans l'auto, tu discutais de l'après, de ce qu'il fallait faire, de ce qu'il ne fallait pas faire. Nous faisions pitié et nous avions si peur. Notre fils te fit une lettre qu'il laissa sur ta table de chevet. Je te revois prendre la lettre, la lire et me la remettre. Il te disait que tu avais le droit de partir, que tu étais une grande soldate et que tu allais renaître dans le corps d'un chevreuil, dans les Laurentides. Tu aimais tellement les chevreuils. Il te disait que nous étions fiers de toi et que nous n'allions jamais t'oublier.

Tu continuais à travailler comme si de rien n'était. Quelqu'un nous a donné *Le livre tibétain de la Vie et de la Mort* mais nous ne l'avons pas lu. Nous allions en chimiothérapie comme des automates, des condamnés. Nous faisions semblant de vivre. Mais le chat resserrait sa prise à tous les jours, il avait entrepris de t'étouffer. Tu toussais et tu respirais de plus en plus mal. Tu voulus faire un dernier voyage, en Grèce.

Hear Me With Your Eyes

Geneviève Cadieux

C'était impossible, voire dangereux, mais nous le fîmes quand même. Dans cet hôtel triste d'Athènes où tu râlais dans ton sommeil, j'implorai Dieu de me donner le moyen de tuer ce monstre. Mais Dieu ne me répondit pas. J'étais impuissant comme cela ne peut s'imaginer. Nous sommes revenus en avion en sachant que nous devions passer au dernier acte. Puis, ce fut aussi ta dernière visite à notre maison dans les Laurentides. Ton dernier Noël, ton dernier anniversaire, tes adieux à tes nombreuses amies.

Tu étouffais. Notre ami le docteur nous fit venir pour une dernière réunion. La chimio ne donnait aucun résultat, il ne voulait plus la continuer. Il abdiquait. Nous repartîmes avec des prescriptions de nouveaux médicaments. Il y en avait beaucoup et de bien des sortes. Quelques semaines plus tard, par un soir de printemps, tu rentras à la maison et tu me dis d'annuler tous mes engagements pour la prochaine semaine. Tu avais cette manière de dire les choses directement. Mais je vis dans tes yeux tout le désespoir du monde. Nous sommes allés dans un parc, près du fleuve. Tu m'as dit que cette sortie était ta dernière.

Une fois rentrée, tu précisas que tu voulais t'installer près de la fenêtre donnant sur le fleuve, dans ton récamier. Tu toussais de plus en plus, tu n'arrivais plus à respirer. Cela dura quelques jours et un soir, alors que tu tenais à peine debout et que j'essayais avec grande difficulté de te faire avaler toutes tes pilules, dans la cuisine, près de l'évier, tu me pris par le bras et me soufflas à l'oreille: j'abandonne, je suis déjà morte, c'est trop dur, cela fait trop mal. Tu t'es installée finalement dans ton récamier, entourée de fleurs d'hibiscus, près de la fenêtre.

Je me suis assis près de toi, tu as repris ton masque à oxygène. Les heures passaient. C'était comme si tu dormais, avec ton toutou serré contre ta poitrine. Je te tenais la main. Tu t'es réveillée, tu voulais me parler. Tu murmuras: je ne vois plus que des ombres. Puis, des larmes coulèrent sur tes joues. Tu continuas: je ne verrai plus mon fils, je ne verrai plus le beau visage de mon fils. Je ne pouvais répondre, je te serrai la main. Puis je me penchai vers toi et je t'ai dit: je t'aime. Tu as répondu: moi aussi. Ta tête s'est penchée sur le côté, tu sombras dans une sorte de sommeil.

Le lendemain, le soleil se leva sur le fleuve, il faisait un temps magnifique. C'était le 25 mai, tu venais d'avoir 47 ans. Le chat n'était plus là. Pour la première fois depuis 13 ans, le chat n'était plus là. Cela se voyait sur ton visage. Je lui trouvai une paix que rien ne peut décrire. Je lui trouvai une beauté que personne ne pourrait reproduire. Il fallait que nous soyons des ombres pour te permettre de respirer. Je t'ai pris la main, elle était froide. Dans ma tête, je te félicitai. Tu vois, c'était si simple. Là où tu es, la mort ne peut plus rien.

Un mois plus tard, j'étais reçu chez nos amis où nous allions régulièrement ensemble, à la campagne. Pendant le souper, alors que nous parlions de toi et convenions de ton bonheur de ne plus avoir à combattre l'impossible, je vis leur chat sur la pelouse en train de jouer avec la vie d'une petite souris. Il était heureux, le chat. La souris n'essayait même pas de s'enfuir. Elle se savait prise. Le chat faisait durer le plaisir. Je fus saisi d'une incontrôlable crise de larmes que mes hôtes attribuèrent à la normalité du deuil. Mais ce n'était pas toi dans la mort qui me faisait pleurer, c'était toi dans les griffes du chat.

J'étais seul et vivant. J'avais la vie en héritage. Je réalisai que j'avais été la souris d'à côté, la souris qui avait tout vu mais qui n'avait rien pu faire que de rester à tes côtés. On invente toutes les armes pour tuer la vie, mais aucune pour tuer la mort. J'avais été le désarmé.

Un chat est un chat. Nous mourons aux chats, aux balles perdues, au simple temps qui passe. Vivants, nous sommes tous à la portée de ces malheurs ordinaires. C'est la vie. Mais les morts, eux, reposent en paix. Il n'apparaît pas que la souffrance et l'insupportable les atteignent au delà d'une certaine porte.

Tu l'as refermée, cette porte trop longtemps entrouverte, tu l'as refermée doucement sur une chambre de peine, mais il était bon de te savoir finalement sortie. Je n'en voulais pas à la mort qui te faisait libre, j'en voulais à la seule chose que je sais. J'en voulais à la vie, à cette vie si belle que nous pleurons quand il nous faut renoncer à sa beauté, à cette vie si cruelle qu'elle ne devrait pas avoir le droit d'exister. Voilà ce que je me disais qui était la pensée floue d'une âme en peine. Une chose est sûre: mourir nous libère de la mort. Ce qui n'est pas rien.

David Homel

The Steerage

Alfred Stieglitz

L'écrivain, c'est celui à qui il manque les mots

Le journal est sur le seuil en béton, dans ce parc de maisons mobiles du nord de la Floride. Les maisons mobiles sont immobilisées. On leur a ôté les roues; pour donner l'impression qu'elles ont de vraies fondations, on a attaché une clôture en plastique tressé autour de leur structure en aluminium, comme si elles étaient bien campées sur place, et faites pour durer. Cette clôture en plastique s'appelle une jupe — un artifice féminin, un maquillage. Les habitants de ce parc sont immobiles aussi. Le lieu qu'ils ont choisi est d'une beauté qui crève le cœur. Les couchers de soleil sur le golfe du Mexique, les pins que l'on appelle *slash* et *loblolly* qui abritent des nids d'oiseaux qui chantent leur joie de vivre toute la journée.

Mon père adore lire le journal qui gît sur le seuil en béton. Le *Gainesville Sun*. Surtout le cahier Sports, où l'on retrouve encore plus de bêtises humaines que dans les pages qui traitent de l'actualité. Il faudrait dire que, dans cette petite localité, la politique est une chose assez maigre. On se rabat sur les sports.

Mais le journal reste sur le seuil, et mon père ne fait aucune tentative pour aller le chercher. Cette immobilité agace ma mère, qui téléphone à ses fils pour s'en plaindre. «Il ne fait rien, il ne bouge même pas le petit doigt.» Ensuite, elle passe à la critique de son passé à lui, obligatoire, semble-t-il, chez tous les couples: «De toute manière, il n'a jamais fait grand'chose. Il a toujours été sédentaire. Et maintenant, il paie pour sa paresse.»

Elle a raison. Tout comme elle, mon père venait d'une famille paysanne — des paysans sans terre, faut-il souligner; dans la vieille Russie, les juifs n'avaient pas le droit de propriété. Ne plus avoir à lever le petit doigt indiquait un progrès social. Une ascension. Faire de l'exercice, faire de l'effort? Cette idée leur était aussi étrangère que de marcher sur la lune. Pourquoi faire de l'effort si on mesure son succès par le fait que l'on ne soit plus obligé de travailler physiquement, avec le corps comme seul instrument?

Mais ce journal, il veut le lire. Il faudrait se lever. Mais pour cela, il faut maîtriser les muscles. J'imagine ce moment, la première fois où ça lui est arrivé: vouloir se lever pour découvrir, à son horreur, qu'il n'est plus maître de ses muscles. «Le journal est là, j'irai voir qui a gagné les matches d'hier soir.» Mais le corps ne répond plus à la volonté. Pour ne pas s'avouer vaincu par l'âge et l'incapacité, il reste cloué dans le fauteuil et fait semblant de ne plus *vouloir* se lever.

Son incapacité physique a été l'œuvre d'une série de petits accidents cérébraux, des assauts précis et minutieux, discrets même, la mort à très légères doses. Mais nous n'avons pas su cela. Enfants dignes de la fin du vingtième siècle, à l'instar de notre mère, nous avons tout ramené à la psychologie. «Il ne se lève pas parce qu'il ne veut pas. Il est déprimé. Faut faire quelque chose.» Le médecin arrive sur la scène, sort la panoplie d'antidépresseurs de son sac. Combiné à toute la pharmacologie que mon père absorbait, leur effet était tout à fait imprévisible. Ramener la maladie à la seule psychologie, c'est malin, c'est un trompe-la-mort: la maladie, le déclin physique, ça n'existe plus, tout est dû au manque de vouloir du malade. Voilà comment notre société a réussi à abolir la décrépitude organique, processus naturel que nous craignons tous. Par la psychologie. L'esprit triomphe sur le corps. On a tué la mort.

Maintenant mon père se retrouve dans un hôpital de réadaptation. Il n'a plus à chercher son journal bien-aimé; on le lui apporte. Pas grand effort là non plus. Il est entré dans cet hôpital pour réapprendre à marcher, et remaîtriser ses muscles. À marcher sans se buter contre les murs et les autres malades, prisonniers comme lui de leurs corps, et sans tomber la tête sur le plancher de tuiles d'asphalte.

Au début du mois de décembre, le soleil du nord de la Floride est encore clément, ses cieux, lumineux. Comment ne pas vouloir vivre éternellement sous une telle beauté? Mais la beauté, elle, est aussi un effort physique. Nous le ramenons pour la journée à la maison mobile, il a le droit de respirer l'air non institutionnel pour l'après-midi. Il n'est pas plus présent parmi nous qu'il ne l'était à l'hôpital. Il a compris que jamais il ne retournera vivre chez lui, et qu'il ne sera pas autre chose qu'un poids pour la femme avec qui il est marié depuis presque soixante ans. Il est prêt à mourir. «Il ferme ses systèmes», disent les médecins. Drôle de métaphore inspirée par le corps en tant que mécanisme, mais derrière elle il y a du courage et de la volonté.

Bêtement, je le sors, mon père, sous ce ciel béni. Notre promenade est un ménage à trois: lui, moi et la marchette. Le modèle qu'on lui a passé est destiné aux moins bien nantis: ses roues sont difficiles à maîtriser, et il doit quasiment courir pour garder le contrôle de cette machine infernale. Au milieu de notre promenade de santé, il s'arrête, épuisé. Il ne peut plus avancer. Il s'agrippe à la marchette qui tremble, qui veut partir, sous le ciel doux et sans tache. Il laisse tomber sa tête, il ne peut pas parler. Il ne peut plus bouger, je n'ose le laisser pour chercher de l'aide, des gens passent dans leurs voitures climatisées, les vitres hermétiquement fermées, personne ne pense à arrêter, on voit souvent des vieux comme lui dans ce parc des immobiles. Je ruisselle de sueur. Je lui chuchote, «Respire profondément, prends le temps qu'il te faut», mais ce que je suis en train de lui dire, c'est «Ne meurs pas, ne meurs pas tout de suite.»

Vingt minutes plus tard, nous rentrons à la maison mobile. J'ai vieilli de dix ans. Lui, encore plus.

Après sa mort, je ne savais quoi sentir. Ou plutôt, comment exprimer les sentiments confus que j'avais, que j'ai. Je ne suis pas expert en vocabulaire sentimental. Pourtant, j'étais conscient de mon père, de sa présence durable, juste hors de ma portée, de ce que moi, je pouvais humainement atteindre. Je savais que les émotions suscitées par sa mort me guettaient, même si je ne pouvais les toucher selon ma volonté. Elles venaient me chercher selon leur rythme, selon une logique quand même compréhensible: en écoutant la chanson de Manu Chao *El Desaparecido*, par exemple, ou une autre fois, très tôt le matin, lorsque sa voix est entrée dans ma chambre pour me réveiller afin d'aller au salon mortuaire pour le père d'une collègue... Oui, très logique. Mais je ne peux toujours pas exprimer ces sentiments; ils m'expriment. Je suis en eux, ils m'englobent, ils n'ont pas d'expression.

Je ne peux pas exprimer ces choses-là avec des mots. L'écrivain, c'est celui à qui les mots manquent.

Allégorie de la Prudence

Titien

Suzanne Jacob

La peine de mort

Elle, dans sa famille, ils ne reconnaissent pas leurs morts. La raison en est simple: dans leur passé, toutes les morts de leurs morts ont été inutiles; elles n'ont servi à rien; elles sont survenues trop tard; ça ne valait plus la peine. Ils ignorent à partir de quelle génération ça s'est mis à ne plus compter. Ils agissent aujourd'hui comme si ça ne comptait plus depuis toujours. Aucun de leurs morts n'est enterré auprès d'un des leurs. Aucun avec les siens non plus. Aucun dans le même cimetière. Aucun là où il est né. Ils sont dispersés. Éparpillés. Ceux de Saint-Lin ont été les derniers, au début du siècle dernier (1900-19..), à avoir reposé quelques années sous une pierre gravée à leur nom, à l'ombre des mêmes pins gris, de la même église. Ensuite les archives ont brûlé; le village a changé son nom; ils ont fait abattre les pins, fait casser les pierres tombales, fait éventrer la terre, fait déménager les ossements en tas à l'extérieur du village, fait répartir les tas sous des noms de famille sans siècle, sans année, sans prénom: Archambault, Saint-Onge, Laurier. C'est du côté de sa mère. Sa mère: «Qu'ils fassent donc ce qu'ils veulent.» Ce n'est pas sa mère qui va aller s'agenouiller dans ce terrain vague, nu, rien. Il est arrivé ce qui devait arriver. Il est arrivé ce qui arrive quand la mort survient trop tard, quand la mort n'a servi à rien ni à personne, quand les jeux sont faits, quand les descendants sont des survivants tout aussi inutiles que chacun des morts. Tant pis pour ceux qui se sont donné du mal pour être reconnus comme morts quand tout était non seulement enterré, mais excavé ensuite, et mis en tas coiffé d'un nom sans âge déjà grugé par un soleil nu, sans rêve, en plein milieu du champ, un champ ras. Pas un arbre. Pas une brise dans laquelle s'apaiser. Rien.

Pas davantage du côté de son père: ceux-là, si le bruit leur parvient qu'il y a eu une mort, ils relèvent la tête un instant comme s'ils écoutaient. Mais ce n'est rien. Ils n'entendent rien. Ils finissent par dire: «Un autre.» Comme s'ils étaient des marins que la mer venait engloutir chacun à son tour. Des guerriers peut-être, que la guerre venait déchiqueter chacun à son tour. Des bêtes aussi, comme s'ils étaient des bêtes qui allaient tomber chacune à son tour. Des arbres indifférents aussi, foudroyer, abattre. Pas la peine d'y penser.

Mais elle, elle cherche aujourd'hui à reconnaître les morts. Elle veut pouvoir promettre, elle veut pouvoir prêter serment. Elle veut pouvoir enfanter, c'est-à-dire raconter une histoire à ses enfants. Elle croit qu'on ne promet, qu'on ne prête serment, qu'on n'enfante que sur une histoire enracinée dans la mort des morts. Elle s'entête auprès des derniers vivants. Elle, dans sa famille, elle demande où elle pourrait aller reconnaître les morts, elle les réclame. Elle voudrait que ce soit pour elle comme pour les autres qui savent où aller reconnaître leurs morts. Les siens se taisent, la regardent par en dessous, se regardent ensuite. Ils ne savent pas de qui elle parle. Rien. Son père: «Ce n'est pas rare. On ne fait pas exception.» Sa mère: «Qu'ils fassent donc ce qu'ils veulent.» Sa mère: «Fais donc comme tu l'entends.» Son père: «Ils nous ont éparpillés de notre vivant.» Sa mère: «N'écoute pas ton père.» Sa mère encore: «Qu'est-ce que tu crois donc?» Son père à nouveau: «Tu te crois qui?» La mère: «Laissons-la donc fouiller si elle en a envie, qu'est-ce que tu veux qu'elle trouve?»

Elle ne trouve pas. Elle tombe malade, mais sans maladie. «C'est son histoire de morts qui la travaille», dit la famille. Elle est à l'hôpital, mais sans maladie. On fait appel à la psychologue. La psychologue débarque de son hémisphère dans sa chienne blanche, penchée en avant comme une écriture italique. La psychologue s'approche du lit avec ses gants et son masque stériles, imprègne sa patiente d'une question douce: «Qui était-ce?»

— Qui nourrit la nourriture en mon absence? répond la patiente.

— Ne craignez rien, répond la psychologue, quelqu'un s'en occupe. Nous allons entamer le processus ensemble.

— Ensemble? murmure la patiente.

— Vous et moi, dit la psychologue.

Elle, aujourd'hui la malade sans maladie, se dit

que ça pourrait être bien, elle et la psychologue, ensemble. Elles pourraient, à deux et ensemble, commencer à fouiller leurs mains, retracer une racine, suivre le sillage d'une ombre à gruger, rassembler des lignes dans une histoire. Mais si la psychologue garde les gants, la chienne, le masque et l'écriture italique, comment pourront-elles jamais être deux ensemble?

— Votre famille croit que vous êtes affectée par une histoire de mort.

La psychologue a lu le dossier; elle avance prudemment ses dures chaussures d'institutions sur la mosaïque grise. Ces dures chaussures d'institutions rendent la maladie plus vive, plus intense, plus incurable. Elle, la malade, elle commence à éprouver le délice de cette impossibilité d'être deux ensemble, elle et la psychologue. Elle sent sa tête peu à peu devenir le granit dur des têtes dans sa famille pendant qu'elle entend la voix de la psychologue réciter les formules funèbres:

— Ensemble, nous allons entamer le processus de deuil et le conduire à son terme. Ensemble, nous allons faire. Faire le deuil. Faire votre deuil, le vôtre et celui de personne d'autre, dit la psychologue.

Sourde injonction montant des chaussures institutionnelles d'en finir avec cette affaire-là dans les temps alloués par les budgets.

— Qui était-ce? Il faut en parler, répète doucement la psychologue.

C'est une fièvre sans température qui noircit les tempes. Il y a de plus en plus de nuit pour cerner les braises, et tout près, dans des couvertures infectées de coryza, des sursauts d'agonie dans une autre langue inaccessible.

— Il faut parler, répète doucement la psychologue.

La patiente respire les deux airs, le tangible et l'intangible. Elle entend les deux airs, l'audible et l'inaudible. Ensuite, elle parle à travers les ténèbres amoncelées dans sa bouche. Elle dit qu'elle pense aujourd'hui que c'était une histoire. Quand elle a eu treize ans, elle a trouvé l'histoire d'Andromaque dans la bibliothèque de l'école. Cette histoire lui a permis d'imaginer ce que ce serait que de recevoir des nouvelles de ses morts. Elle dit qu'elle pense que l'histoire aurait pu survivre dans le sang des captives comme elle survivait dans Cassandre et dans Andromaque, dans leurs suivantes, toutes captives. Elle dit qu'elle veut dire que leur histoire aurait pu survivre dans le sang des captives. Baptisées captives par le sperme, elles auraient pu verser l'histoire dans le sang de leurs enfants avant d'être enterrées sous leur nom de baptême, puis déterrées en vrac par un bulldozer, et reversées dans la plaine sans arbre, coiffées du nom du sperme donc.

— Oui, dit la psychologue pendant qu'elle note, oui.

— Nous ne sommes pas au téléphone, dit la malade, je suis trop faible pour que vous notiez, ceux qui notent, c'est pour mieux pouvoir effacer ce qu'ils entendent. Vous vous êtes approchée de ma bouche avec le texte de Loi qui me condamne au deuil comme à la peine de mort.

— Oui, dit la psychologue en continuant à noter, oui.

Puis, plus rien à noter qu'une brusque chute dans le mutisme. Plus tard, quelques bribes; sa famille ne vient plus; puis les organes de son corps seront partagés entre plusieurs receveurs.

Satyre pleurant une nymphe

Piero di Cosimo

Marie-Claude Verdier

Paradise.com

Y'a personne ici qui sort avec quelqu'un par amour. Icitte, y'a pas un gars qui va sortir avec une fille si y'a pas déjà un gars qui veut sortir avec. L'amour avec un grand A version 16 ans, c'est plutôt l'amour avec une grosse paire. Le romantisme est parti sans me le dire. C'est ben à cause de ça que j'chus tu seul comme un moron!

À la poly ç'juste une gang de losers qui écœure le peuple juste pour le trip, juste pour montrer comment ils sont tellement plus cool que tout le monde. Faque pour rester en vie assez longtemps pour passer mon permis, j'me cache dans le local d'info. Y'en a pas un sacrament qui va venir me chercher là. Une fois j'étais en train de finir le 18e level de Doom quand Martine est arrivée. Martine, Martine qui tripait juste à entendre le début de High Hopes[1], Martine qui pouvait pas passer 2 heures sans checker son e-mail. C'te fille-là, c'était ma meilleure amie. Donc, elle est arrivée «Euh Sébast?» «Ah deux secondes» «Ah come on, j'ai quelque chose à te montrer». C'était la première fois que je me rendais loin de même, j'étais pas pour arrêter, y me restait juste à bûcher le démon pour atteindre le niveau bonus!! Martine s'est assise à côté de moi, elle chantait High Hopes, «sa» chanson, ça la réconfortait toujours de faire ça: «To a glimpse of how green it was on the other side, steps taken forward but sleepwalking back again...» Elle s'est tannée pis est partie en laissant un bout de papier sur le bureau. Martine pis moi, ça faisait super-longtemps qu'on se connaissait, le club d'info, c'était nous deux parce qu'on était les cibles de choix à l'école: à nous deux, on avait moins de sex-appeal qu'un cours de bio. Elle laissait jamais quelqu'un me niaiser, j'te dis qu'à leur répondait bête, mais pas moi, moi j'étais trop nul pour la défendre. J'la voyais se faire dire 50 affaires pis moi, grand niaiseux, j'étais pas capable de dire un mot pour les arrêter.

Après l'école j'suis retourné chez nous pis j'me suis rappelé du papier. C'était l'adresse d'un site, Paradise.com que ça s'appelait. Mais il fallait downloader un cossin pis comme ça me tentait pas de perdre du cash, j'ai trafiqué les codes d'accès. Après plusieurs heures, j'ai réussi à rentrer. Il fallait se créer un perso faque j'ai scanné la photo de Ben Affleck, j'y ai bleaché les cheveux pis j'y ai mis des jeans pis un coat de cuir. Pour le

---

1. Chanson tirée de l'album *The Division Bell* de Pink Floyd.

nom, j'ai tapé «Ben», y'en avait déjà 83 autres. Là la ville a littéralement poussé autour de moi, les immeubles, pis les arbres, tous en 3D, les sons se sont glissés doucement, les gens sont apparus, des centaines qui déambulaient à perte de vue. J'étais devant le café Sax's, selon Martine c'est LA place sur le site. En marchant, j'ai vu mon reflet dans une vitrine. J'avais l'air king en estie. Pis là, ça m'a frappé, pour la première fois de ma vie j'étais beau. J'me suis mis à danser devant la vitrine pour être sûr que c'était moi qui contrôlait ce corps-là.

Pis là, y'a quelqu'un qui m'a tapé sur l'épaule. Intrigué, j'me suis retourné. Y'avait un ange devant moi, elle avait des grands yeux bleus, des cheveux châtains parsemés de marguerites. «Salut» qu'elle m'a dit. «Euh Salut.» Bon — Salut — c'était le plus loin où je m'étais rendu avec une fille, parce qu'après salut je sais jamais quoi dire et là elle se rend compte avec quelle sorte d'épais elle parle pis à sacre son camp. Mais elle restait là. «Moi c'est Juliette, j'suis de Montréal, pis toi?» «Euh cool, moi c'est Ben84 pis chuis de Montréal aussi.» Là, elle a pris ma main dans la sienne et je l'ai suivie. Elle m'a montré les recoins du site, les habitués, les quartiers privés, les boutiques virtuelles pis JingleZero, le webmaster. Ça faisait longtemps qu'elle venait ici, elle m'a dit que sa réalité à elle, c'était celle que le Net voulait bien lui donner et que le vrai monde faisait trop mal pour rien. Moi, je l'écoutais, elle était passionnée par cette utopie virtuelle, par ce monde dans la machine comme elle disait. On est allé voir le coucher de soleil, c'est cliché en maudit, mais croyez-moi c'est le plus beau cliché du monde! Puis on s'est regardé, ses yeux ont plongé dans les miens, je me suis rapproché d'elle, je l'ai prise dans mes bras, j'ai frôlé délicatement sa joue, j'ai entrouvert doucement mes lèvres, j'ai fermé mes yeux et puis… rien. Nada, niet, nothing, rien. Ça frenche pas fort sur le Net pis en plus ça beurre l'écran. Là mon maudit serveur a crashé pis j'ai pas pu retourner.

Le lendemain, pendant le cours de français, Martine a commencé à me poser plein de questions sur le site. «Pis comment t'as trouvé ça?» «Pas pire, c'est pas à se rouler à terre» «Ah… Pis t'as-tu vu du monde?» «Ouais j'ai rencontré une fille» «Ahah». Elle avait son petit sourire matchmaker. «Comment elle est?» «Est super fine, vraiment belle, passionnée, drôle, j'pense que chuis intéressé…» Là elle m'a fait une expression incompréhensible pis s'est replongée dans son français + en murmurant: «we reached the dizzy heights of that dreamed of world…» Toujours sa toune c'était la seule chose qui pouvait la consoler.

Le midi, à la café, on a continué à jaser. «T'aimes pas ça plus que ça le site?» «Ben c'est juste que j'trouve qu'y a rien de vrai, c'est tellement hypocrite, tsé, j'ai pu me gosser une super-apparence, mais ça va prendre pas mal plus qu'un logiciel pour changer qui je suis, ça sert à rien dans le fond.» Elle a continué: «Tu comprends pas, ça donne une chance à des centaines de personnes, y'a du monde tu seul qui se trouvent quelqu'un, y'a du monde straight qui peuvent sauter en parachute, habiter un palace, être connu et adulé tsé c'est un mensonge qui fait du bien à ben du monde.» Juste comme elle finissait sa phrase, y'a des p'tits pois qui sont atterris devant nous, suivis par d'autres restants de table. C'étaient des gars à l'autre table, y'avaient l'air de se trouver ben drôles. Ils criaient après Martine. Elle essayait de pas les entendre mais ils continuaient. Elle s'est mise à pleurer, pis eux autres ils riaient plus fort, j'étais tellement écœuré, j'me suis levé pis j'ai crié: «T'as pas fini! À t'a rien faite!» Là toute la café s'est arrêtée pour me regarder. Mais j'ai continué: «C'est quoi ton problème Prud'homme, t'est pas assez fort pour un gars faut que t'écœures une fille, t'es rendu si bas que ça, tu m'écoeures Prud'homme, tu M'ÉCŒURES!!!» Martine me regardait, y'avait tellement de gratitude dans ses yeux-là. Pis là le maudit surveillant est arrivé, dans le bureau du dic mais je m'en sacrais, j'm'en sacrais tellement. J'avais réussi ce que toute ma vie j'avais jamais été capable de faire. Je m'étais tenu debout.

Il fallait que je raconte ça à Juliette. Le soir, j'chus retourné sur le site. J'avais plus besoin de me cacher, alors j'ai pris mon vrai nom. Elle était là. Je lui ai tout raconté sans oublier le plus infime détail, elle souriait, elle était fière de moi. Moi j'étais parti dans ma bulle ben raide, «Tsé, tu penses pas que ça serait le fun de se voir dans la vraie vie?» que je lui ai demandé. Son sourire a disparu. «Non ç'pas possible.» «Ben pourquoi pas?» Et là, j'me suis rendu compte qu'elle paniquait vraiment. «Écoute Juliette, ici c'est pas ma réalité, c'est juste un monde d'illusions, pis notre amour, ben c'en est pas une!» Les larmes glissaient sur ses joues, elle m'implorait d'oublier ça, que c'était une très mauvaise idée. Moi, j'voulais la rassurer alors j'lui ai dit que si on s'était vu dans la vraie vie, laid comme je suis, elle m'aurait jamais vu, enfin pas comme elle me voyait maintenant. «Tsé Sébast, toi non plus tu m'aurais pas vue.» Je lui ai pris les mains: «Promets-moi que tu vas y penser.» Elle m'a dit oui et je suis parti.

Retour dans le vrai monde, mais le doute m'envahissait, si Juliette avait raison? Si c'était le vrai monde l'illusion qui cachait tout? Le vrai monde qui nous juge sans cesse et qui nous fait souffrir, terriblement souffrir, on est peut-être juste une apparence dans le monde virtuel, mais ça fait moins mal, pis ça te donne ben plus envie de faire quelque chose de ta vie. Mais je ne pouvais pas me résoudre à accepter un mensonge pour un monde meilleur, j'avais l'impression de tricher. J'me suis endormi en me disant que la nuit portait conseil.

Le lendemain, à l'école, tout était plate, j'arrêtais pas de penser à Juliette. Au deuxième cours, le directeur m'a appelé. «Euh, je sais pas comment te dire ça mon grand mais, Martine s'est suicidée hier soir… si t'as besoin d'aide…» le reste est un peu flou. J'étais en état de choc total, non, c'était une joke, Martine était juste en retard pour ses cours, ça se pouvait pas, non. J'ai couru chez nous, j'en voulais au monde entier de m'enlever Martine, y'a 50 personnes qui meurent à chaque minute, pourquoi est-ce qu'il avait fallu que ma meilleure amie en fasse partie? J'avais besoin de parler à quelqu'un, Juliette, oui il fallait tellement que je lui parle… Je suis allé voir mes messages. Y'en avait un nouveau: «Salut Sébast, the division bell a sonné pour moi, mais pleure pas, j'suis pas morte, j'suis au paradis» …point com. Chez nous, j'suis allé sur le site, j'ai tapé le nom de Juliette:

User Unknown que ça m'a dit. OH! Mon dieu, Martine, pourquoi tu me l'as pas dit avant que tu m'aimais? Y'avait juste trop de choses en même temps. J'ai hurlé, j'ai hurlé pour une vie qui avait été trop cruelle pour qu'elle ait le courage de la vivre. Pas de pourquoi, je savais tellement le pourquoi et je m'haïssais tellement pour pas avoir vu clair, j'étais pas meilleur que les autres. On avait jamais vécu, ni moi, ni elle, ni Juliette, on avait été vide. J'ai hurlé pour l'amour qu'elle ferait jamais et les enfants qui naîtraient jamais, j'voulais pu jamais qu'y aille de mensonges, j'ai pris ma chaise, pis j'ai fessé, j'ai fessé dans c'te kâliss de machine jusqu'à temps que je puisse pu tenir la chaise.

Un mois après, j'y suis retourné. J'ai pas trafiqué les codes pour lui payer sa tombe. Quelque part dans un cimetière virtuel, y'a la statue d'un ange appelé Martine, pis en dessous y'é écrit:

The Grass was Greener
The Nights of Wonder
With Friends Surrounded
Forever and Ever

Laurent-Michel Vacher

Le Christ mort

Hans Holbein

Le deuil de Dieu

Il y a peu, j'ai eu à m'intéresser à Dostoïevski et à lire *L'Idiot* pour la première fois de ma vie. À cette occasion, je suis tombé sur l'étonnant épisode de la visite à Bâle du romancier russe et du choc, à la fois spirituel et physique, que lui causa la contemplation de l'extraordinaire tableau de Hans Holbein *Le Christ au tombeau*. Le cadavre de l'Homme-Dieu, mort, en chair et en os — comment cela pourrait-il être admissible, pensable? Dans le roman, d'ailleurs, le prince Mychkine n'ira-t-il pas jusqu'à suggérer que pareille toile serait de nature à faire perdre la foi à bien des croyants? Ce fut, pour moi, le point de départ des réflexions, un peu tortueuses au premier abord, et paradoxalement assez éloignées du décès de Jésus, que voici.

S'il est un point, simple et fondamental à la fois, que la réflexion et l'étude du deuil nous aient confirmé, c'est sans doute qu'il n'y a pas de deuil véritable et affectivement vécu sans possibilité concrète d'observer la disparition nettement perceptible d'un objet d'attachement auparavant bien tangible. En effet, seul un attachement émotionnel portant sur une entité susceptible de présence, et donc aussi d'absence, objectives, peut servir de condition pour un deuil authentique, ce dernier étant d'autant plus intense que le lien avec l'entité qui vient à manquer était lui-même plus profondément ancré et ressenti. En outre, il n'est pas douteux non plus que tout deuil soit rendu problématique, voire impossible, quand le phénomène de disparition concerné n'est pas susceptible de faire l'objet d'une constatation indiscutable d'irréversibilité: lorsqu'une personne chère disparaît sans que l'on sache jamais avec certitude si elle est morte, ou sans que son corps puisse être retrouvé, les proches voient le travail du deuil ajourné ou sérieusement compromis.

Sur la base de ces données élémentaires on peut, je crois, être amené à conclure que le «deuil de Dieu» est une pensée intenable, l'entité à laquelle est censé se référer le terme de «Dieu» ne présentant aucune des caractéristiques requises pour qu'il y ait véritablement possibilité d'un deuil. Dit autrement, il se pourrait que la question du deuil puisse nous en apprendre au sujet de Dieu.

Et pour commencer que, du point de vue psycho-anthropologique, le divin reste en dernière analyse, malgré l'extraordinaire floraison des phénomènes religieux entourant la foi en son existence, confiné

Ruth Van der Molen

au statut ontologique d'une simple idée subjective et non d'une réalité objective indépendante. C'est ce que les discours théologiques, qui ne pouvaient manquer de prendre en compte cette particularité à la fois incontournable et lourde de conséquence, ont su exprimer indirectement au moyen de thématiques comme celles de «l'absence de Dieu», du «retrait» de Dieu de sa création, du «mystère» inhérent à l'être divin, et plus généralement de tout ce qu'on désigne comme théologie négative et qui repose sur le principe selon lequel rien de ce qui fait nos catégories normales de pensée positive et courante ne serait adéquat pour s'appliquer à un impénétrable au-delà, transcendant et par là ineffable, comme Dieu.

Si, en effet, Dieu est par définition un être «d'un tout autre ordre», son éventuelle disparition, fût-elle théoriquement concevable et ontologiquement effective, ne saurait aucunement se constater dans notre ordre naturel et profane comme le peut n'importe quelle autre disparition. D'ailleurs, le langage même de la «foi» est ici révélateur. Alors que je peux normalement savoir que mon chat est vivant (ou mort), je peux seulement croire en l'existence de Dieu, ce qui revient à confesser implicitement que nul mortel n'a ni ne peut vraiment avoir jamais pleine connaissance du fait qu'il soit ou non réel. Arrivé à ce point, la tentation est forte de conclure qu'au fond, même le croyant reste nécessairement habité par le soupçon que son Dieu n'existe peut-être pas, tout en préférant ne pas trop y penser et tout en étant sincèrement et honnêtement convaincu qu'il serait tellement rationnel, bon, logique, beau ou juste qu'il existât, que tout esprit sain devrait en dernière analyse se voir forcé de faire comme s'il savait que Dieu existe... Mais savoir et faire comme si on savait sont évidemment deux choses profondément différentes, spécialement du point de vue psychologique, affectif et moral, avec, sur la possibilité d'un deuil, des conséquences de vaste portée.

À tout cela, il ne faudrait bien entendu pas omettre d'ajouter une difficulté supplémentaire éludée dans ce qui précède, qui serait l'inévitabilité d'une contradiction conceptuelle interne dans l'idée même d'une «mort de Dieu». Il s'agit en effet d'un oxymoron, Dieu étant réputé par nature, ou par essence, éternel et indestructible, cette logique définitionnelle étant même, selon toute vraisemblance, le ressort de la célèbre «preuve ontologique» de l'existence divine. Son inexistence ou sa mort ne sauraient par conséquent avoir de sens qu'aux yeux de ceux qui justement n'y croient pas; mais ici aussi la contradiction nous guetterait, car comment un être que je tiens pour purement et simplement non existant pourrait-il aucunement être susceptible pour moi de mourir?

Au mieux, lorsqu'un Nietzsche annonce que «Dieu est mort», ce n'est donc qu'une façon imagée de nous dire que les conditions culturelles, historiques et morales qui permettaient une croyance véritablement forte en «Dieu» nous feraient désormais défaut au point que ladite croyance ne serait plus vraisemblable pour un nombre croissant de sujets.

Seulement cette «mort»-là est tout à fait impropre au deuil. La croyance en effet peut sans cesse renaître aussi aisément qu'elle a disparu: Dieu n'étant pas plus absent mort que vif, tout «deuil de Dieu» est irréalisable, pour le plus grand malheur des hommes.

Le deuil est évidemment indissociable d'un renoncement. Mais on peut craindre que l'humanité ne soit jamais en position de savoir (ou de devoir) renoncer véritablement ni définitivement à Dieu. On aurait probablement pu atteindre cette conclusion de manière encore plus rapide en remarquant que, même dans le cas d'un être cher décédé, il n'est pas rare que le renoncement soit au mieux partiel. Lorsque le mort a quitté «ce monde», nous savons plus ou moins renoncer à le revoir «ici-bas». Mais combien d'entre nous, même après un travail du deuil raisonnablement «réussi», continueront-ils de «croire» en une sorte de «survie» surnaturelle de la personne chérie «dans l'au-delà»? Combien «sentiront» sa «présence», lui parleront intérieurement, etc.? A fortiori, comment escompter de cette incurable faiblesse humaine qui est la nôtre, si constamment inapte à renoncer totalement après la plus tangible disparition, un renoncement qui, dans le cas divin, devient d'autant plus difficile et improbable que l'objet «perdu» n'aurait jamais daigné manifester objectivement son existence depuis toujours simplement putative?

Le deuil est le passage obligé du renoncement. Mais la conclusion qui s'impose est que les humains ne savent pas facilement renoncer. Même les proches décédés, dont le cadavre bien tangible a été mis en terre le plus physiquement du monde, sont encore le plus souvent renvoyés à une quelconque forme d'existence spirituelle dans une dimension surnaturelle. Comment Dieu échapperait-il à une telle postulation irrationnelle d'existence, lui dont l'impensable cadavre est voué à demeurer désespérément indisponible?

Ainsi nous faut-il accepter d'envisager de renoncer, à notre tour, à la pensée même de la mort de Dieu. Dieu n'est pas le genre d'être qui peut mourir. Dieu n'est malheureusement qu'une idée, et d'une idée on peut seulement espérer qu'elle cesse de nous intéresser, de nous concerner ou de nous hanter. Si les croyants eux-mêmes peuvent mourir, ce n'est pas le cas des religions ni des croyances. Le plus souvent — et c'est ce qu'on peut craindre (ou espérer, c'est selon) en ce qui concerne Dieu «lui-même» — , elles ne peuvent que se transformer, revenir encore et toujours sous mille déguisements inédits, et ne jamais nous quitter. Elles ne sauraient, dans la meilleure des hypothèses (improbable en l'occurrence), que passer ou se démoder. Et pour cela, il n'est pas de deuil.

Sophie Massé

Rien

Je n'ai rien fait.

Ses longs bras décharnés dessinaient de grands cercles dans l'espace. Tentaient d'agripper une particule d'air solide. Son dos osseux ployait vers la surface écumante qui portait notre canot. De sa bouche ouverte s'échappaient de faibles borborygmes. De la mienne retentissait un rire enjoué qui résonnait sur les murs boisés de la rivière et s'amplifiait jusqu'au lointain. Il est resté longtemps sur le fil de cet équilibre précaire. J'ai eu tout le loisir de me moquer de lui.

Et comme sa tête, enfin, a plongé vers les roches plates du fond de la rivière. Comme son crâne est allé se frapper sur le plancher mouillé. Son corps maigre s'est coulé dans les courbes de l'eau turbulente. J'ai suivi. Mes yeux cherchaient un indice quelconque. Un signe de vie ou de mort. Je riais toujours. Même quand le front chauve est revenu à la surface, strié de sang. Je riais encore. La main crispée qui voulait que je la prenne. Les premiers sons étouffés. Le visage convulsé de peur. Je riais.

Puis j'ai ri d'autre chose. De ma certitude. Du vertige affolant qu'elle me procurait. Il m'implorait du regard et sa prière muette affirmait ma volonté.

Le courant l'enlaçait. Le meurtrissait. Tout son corps venait de sentir. D'entendre dans mon rire. De lire sur mon visage. Il savait.

Et dès qu'il a su, il a voulu me tenir contre lui. Me couler avec lui. M'anéantir. Le mépris. Ma haine. Je n'ai pas d'autres justifications. Celles-là suffisent. Il le savait aussi.

Je n'ai rien fait.

Beyrouth en ruine; la vie continue

Carl Valiquet

Élisabeth Boileau

"the 'zamoudis' are not available"

"i'm glad i figuratively slapped you on the wrist
you laughed a wicked laugh
and said 'come here let me clip your wings!'"[1]

Alanis Morissette

je t'ai pleuré mon amour — au lever au coucher tous les jours
levée pour me coucher pour te coucher — et à défaut je te couche sur papier

des souvenirs — j'en ai bien peu et j'en ai trop...

du temps de notre première rencontre...

à une soirée nous nous sommes trouvés assis sur le sofa face à face jambes croisées «apprends-moi le lotus» tu m'avais demandé. le lotus, ma position yoga pour substituer 5 heures de sommeil.

---

1. Alanis Morissette, "Can't Not", *Supposed Former Infatuation Junky*.

tu revenais d'un voyage au liban, tu avais beaucoup réfléchi. tu disais des phrases profondes: «sois toi-même.»

le Premier à ne pas se dérober sous mon ironie. oui, mais tu n'as pas su lire ma terreur derrière le défi. tu t'es coincé en faisant le lotus. j'aurais dû deviner un joujou cassé et surtout, deux joueurs trop pressés... tout de suite «tu fais quoi samedi?» tout de suite «Rien» («i like your shoelaces. wanna fuck?» version civilisée).

...de ce samedi-là...

moi, c'est l'extrême ou rien. j'ai craint que mon indifférence te détourne de moi, alors j'ai choisi l'option surdose: «c'est super ce que tu fais c'est super t'es super t'es drôle...» j'en avais même perdu ma langue, je me suis faite anglaise (pardon, papa).

tu t'essayais, j'aurais pu rire si je n'avais été si figée... sur le chemin du retour, tu m'as tendu la main. j'y ai glissé la carte routière. «no, I wanted your hand...» il fallait tout me dire et tu t'es tu. c'est le Jour où tu m'as fait un Compliment: «t'as des joues de fesses de bébé singe» (je devais prendre ça comment?)

quand tu m'as ramenée chez moi, tu ne m'as pas embrassée, tu m'as invitée à boston. quand tu m'as ramenée chez toi, tu ne m'as pas embrassée, tu m'as pris ma virginité.

mon Premier baiser mythique à moi, c'était un coup d'épée dans la gueule. «tu feras attention pour respirer, son nez est un peu long» on m'avait avertie. je venais de lire les *Nourritures terrestres*, je t'ai laissé faire.

c'était au temps où tu m'appelais tous les jours
au coucher pour te coucher pour me coucher

...du jour

trop tard trop tôt où le message sur votre boîte vocale a pris tout son sens: *the 'zamoudis' were not available ...please leave a message after the tone...*

*   *   *

je t'ai bien pleuré mon amour, tu serais fier de moi.

et en te pleurant (les yeux rougis d'être secs) je me suis dit que j'avais mal compris... regarde les pieuvres: la pieuvre mâle féconde et part. la femelle est fécondée puis s'autodétruit (sans quoi elle mangerait ses petits). la femelle pieuvre n'a qu'une portée: la nature s'en débarrasse puisqu'elle ne peut plus procréer.

voilà. le but d'une vie, c'est de perpétuer d'autres vies. un cycle. comme les philosophes qui philosophent pour d'autres philosophes qui philosopheront sur la philosophie passée et inspireront la philosophie future qui n'affectera jamais ceux qui vivent d'action qui n'ont rien à faire de philosophie alors que les philosophes mettront difficilement en action leurs philosophies de l'action étant par nature outre qu'intellectuelle-ment inactifs. (c'est vrai que j'ai trop réfléchi) *elle*, elle doit protéger son œuf elle n'en a qu'un et c'est pour neuf mois elle doit bien choisir celui qui donnera 50% des gènes de sa progéniture.

lui, il peut distribuer son sperme sans y songer 2 fois. même, c'est mieux ainsi, pour la reproduction de l'espèce. la monogamie n'est pas naturelle: la fidélité, c'est par insécurité. c'est pour ça qu'on se les attache en se détachant (je ne t'ai jamais tant aimé que quand tu m'as laissée).

je me suis mise à l'écriture (comme christian bobin, je n'ai jamais écrit que pour «rejoindre le temps limpide dessous le temps obscur»). je ne me faisais plus jamais belle, pour me punir. je ne me présentais plus en classe, moi qui avais été première. et j'allais, un leitmotiv dans la tête — ton nom. en fait, je n'allais pas très loin. de ma chambre à la cuisine. de l'école à mon lit. entendre ton nom m'était devenu un fer, et tout m'était devenu prétexte à le prononcer. il signifiait «noble et courageux» (tes parents devaient avoir le sens de l'humour).

«les Lions, ils vont comment avec les Poissons?» les Lions et les Poissons? je vous dirai, ça dure deux semaines... vous aviez raison, deux semaines, c'était Rien vexant, non?

moi je me raccrochais à cet étendard: «tu ne me connais pas.» c'est difficile pour moi, tu comprends. j'ai été élevée chez les sœurs, chez les fées. et la Belle au Bois Dormant (tout est majuscule dans ce monde-là), son Prince devait encore l'aimer après deux semaines, elle.

même s'il l'a épousée sans la connaître. son Prince ne la voyait pas que comme un objet sexuel, sa Belle, il l'a épousée sans la connaître.

vexant

1 a décidé pour 2. ça défie les lois mathématiques. c'est donc qu'on ne faisait pas, nous, tout à fait 1. c'est pour ça que j'aurais dû te laisser avant si je m'étais méfiée: la vitesse, c'est une supériorité.

deux semaines, c'était rien. mais après deux semaines, je n'étais plus la même. tu m'avais basculée, tu m'avais basculé mes idéaux.

*   *   *

je t'ai trop pleuré mon amour, tu serais fier de toi.

tu le savais, n'est-ce pas, que je t'aimais? c'est pour ça que tu devais me laisser. c'est quand tu as su que tu pouvais me blesser que tu n'as plus voulu me blesser que tu as su que tu devais me blesser parce que tu ne craignais plus, toi, de l'être. sans risque il n'y a pas de jeu.

par fierté.

...ta fierté... il m'est si difficile de me pardonner de l'avoir flattée (en vain!). mais souvent tu avais mal au dos, tu pliais l'échine.

tu as choisi de ne conjuguer ta vie qu'au présent joint en main, yeux fermés (avec pauses pour contempler les éléphants s'accoupler au canal D) si ça te réussit, c'est une chance que je t'envie.

91

aujourd'hui je suis guérie pourtant jusqu'à ma calligraphie s'est altérée. aujourd'hui quand je vois une fontaine ou un garçon, je ne fais plus de détour, je ne ferme plus les yeux, et je parle français.

«Hope can be a bad thing.» c'est toi qui m'as dit ça (on le reconnaît à la tournure) et tu étais dévoué, tu as voulu me l'enseigner en joignant le geste à la parole.

alors seigneur maman ma sœur, de l'espoir et des idéaux, j'en ai fait mon deuil. (il n'y a plus de majuscules dans ce monde-ci).

(jusqu'au Prochain)

amen

Post-scriptum: Quand le prochain est arrivé, elle ne se souvenait déjà plus de rien. *Et pourtant... pourtant je n'aime que toi. Et pourtant, pourtant...*

Clément Payette

Marie-Christine Lévesque

Empty nest syndrom

Je ne suis ni vraiment scientifique ni homme de lettres. J'ai toujours essayé d'être rationnel et juste. Mais parfois l'irrationalité et sa violence me gagnent. Je suis un être meurtri par la perte de ma femme décédée tragiquement. Je suis doublement meurtri par l'hypocrisie du système judiciaire criminel qui fonctionne à plusieurs vitesses. Cette hypocrisie est l'antithèse de ce que fut mon travail, toute ma vie: la recherche de la vérité et le soulagement de la douleur. Je suis médecin.

La réalité ne peut être cernée. Sitôt qu'on s'en approche, elle se modifie et fuit. La douleur du deuil est donc difficile à cerner. Quand je ferme les yeux, je suis souvent submergé par la tristesse. Je pense à Diane, à sa vie volée, à notre vie à tous violée. Ma peine fut violente quasi destructrice. J'ai eu de nombreux creux de vague. Je dis vagues et parfois, je divague. Voici donc une partie de cette réalité de deuil qu'on ressent avec des mots, à cause des maux...

Seul, endeuillé, je cherche un phare... Je suis sur la proue d'un navire. Mon navire. La tempête est passée. Tout me semble dévasté. J'ai serré les deux poings, accroché au bastingage. J'ai tenu bon, je crois. J'ai encore mal à tous mes muscles, à tous mes os, à ma gorge qui s'est nouée, à ma poitrine qui s'est vue serrée comme enroulée par un câble à nœud coulant. Pourvu que le câble en se dénouant ne glisse pas à ma gorge et ne m'étouffe au passage. Souvent j'ai peur... peur de mourir de chagrin. Maintenant je comprends ces vieux qui suivent l'autre dans la tombe.

Cauchemar, rêve, non... pire, réalité. Je ne bouge pas, je suis englué, tétanisé j'ai perdu ma capitaine. Tuée. Mon chagrin est profond.

Je sais de quel port nous venions. Avions une fière allure. Nous filions sans encombre vers on ne sait où. Le temps était doux... La brise légère. Il n'y a plus rien maintenant. C'est le néant après la tornade. Il y a eu cette tempête, puis d'autres plus petites mais tout aussi invasives.

Mon amour, j'ai tout vécu, je bois la coupe jusqu'à la lie. Compassion d'abord pour l'autre barreur de cet abordage, victime aussi? de l'accident. Vouloir savoir, vouloir comprendre, tenter d'expliquer. Puis la nouvelle du non-accident. Le pirate célébrait Bacchus. Il a sorti la grande faucheuse, fin d'après-midi, sans possibilité de défense aucune.

Négation, colère, peine, pleurs, déception, ennui, souffrance, plaie vive et déchirure. Indice de douleur cinq sur cinq.

Quand l'absence devient obsession et l'obsession une déchirure physique, sans nom. Comme éviscéré, froidement. Pas de traitement, pas de soulagement. Les couchers: impossibles, les levers pires encore. Les temps de repos, des tortures. Vaut mieux s'accrocher sur le pont jusqu'à ce que l'insomnie soit vaincue pour quelques heures avant que la tourmente ne reprenne.

Le temps fera son œuvre et la Cour des hommes fera son chemin. ...Justice? Ricanements. Croire à ces robes noires vues au loin? Puis entre deux larmes, s'approchant de nous j'ai vu seulement des corbeaux s'arrachant les restes de nos cœurs meurtris.

Où sont donc passés mes moussaillons? En partance devant mon impuissance. Ils cherchent d'autres vaisseaux pour voguer vers des temps meilleurs. Le navire amiral est échoué. Ils lorgnent des frégates plus rapides ou des cieux plus cléments ou des sirènes envoûtantes ou des paradis artificiels. Empty nest syndrom! Sans ailes (ou elle). Les oisillons doivent quitter le nid. Je reste l'albatros gauche et veule sur le pont du navire que l'on déserte. Je m'ennuie maintenant.

Je n'ai plus de contrôle. Je vois la nuit venir. Parfois j'ai peur du noir. Je suis fébrile. J'ai souvent peur de perdre plus grand contrôle encore face à ces corbeaux noirs qui planent au-dessus de toute justice et de tout juste châtiment.

Vite que la marée vienne, que le vent ne souffle pas trop. Je ne veux pas casser ma coque.

J'attends, je m'accroche au bastingage. Que le soleil, brille demain. Pas trop. Les yeux me chauffent... Je n'y vois pas bien clair. J'ai souvenir encore de mon Éden. Mon Amour, j'ai souvenir de ces boisés aux riches couleurs automnales aux parfums de la terre où je veux retourner. J'ai souvenir de ces rires et ces silences, de ces paroles jamais dites de ces regards toujours posés.

Fille, femme, mère et amante. Suis-je maintenant résigné? Je m'ennuie de toi. Par toi, j'espère me relever. Pour le reste se trouve-t-il des braises sous les cendres. La terre tournera un jour ou l'autre. Je sillonnerai sous d'autres cieux. Sache que dans les brumes du matin c'est ton parfum que je humerai encore. Je n'ai plus cette peur ultime. Quand viendra le temps je plongerai dans le gouffre à tes côtés.

Claude Levac

Patrick Lévy

Le marabout

Je visitais le cimetière marin de Saint-Louis du Sénégal. Un homme était assis les jambes ouvertes dans le périmètre délimité par trois courts murets. Au centre, un modeste monticule de terre indiquait une tombe. Une vieille tombe. Il était seul et il parlait.

Je m'approchai et me tins à l'écart derrière lui. Il était longiligne et fort mince, impeccable dans son boubou bleu pâle. Au bout d'un moment:

— Toubab, tu m'attends? me lança l'homme sans bouger la tête, un sourire dans la voix.

— Puis-je me joindre à votre conversation? lui répondis-je sur le même ton.

Je me postai devant le muret, en face de lui.

— D'où viens-tu?

— De la terre des vivants, peut-être. Mais lui, où est-il? demandai-je en désignant la tombe des yeux et du menton.

— Il est au pays des sourds, des aveugles et des muets. Il est au pays sans saveurs, sans couleurs, sans odeurs. Là où les sens n'existent pas, parce qu'il n'y a plus de corps.

L'homme s'exprimait en français et, quoique sur un rythme un peu haché, il prononçait soigneusement les mots; sa voix grave demeurait enjouée, comme s'il goûtait chaque syllabe.

De la langue de terre où il s'étend, le cimetière dominait, d'un côté l'océan et de l'autre, le fleuve Sénégal. La rumeur régulière des vagues de l'Atlantique l'enveloppait. Le vent poussait très fort tantôt un souffle chaud portant l'odeur des poissons décapités, ouverts et aplatis qui séchaient sur des paniers posés à l'envers sur le sable brûlant en contrebas, tantôt le relent fétide de l'amas des têtes qui pourrissaient; rarement, une brise fraîche venait du large. Des mouettes qui feignaient de s'ébattre, lorgnaient les poissons et attendaient le moment propice pour tomber dessus à pic.

— Est-ce une situation enviable ou une perspective effrayante?

— Ni l'une ni l'autre. C'est le lieu où l'âme peut rejoindre Dieu parce que, comme Dieu, elle n'a ni corps ni sensation. Elle est sans mouvement, sans force. Dieu et l'âme ont alors le même état d'existence; ils peuvent s'unir.

— Mais ce mort, pensez-vous qu'il existe encore... d'une certaine manière?

— Ce pays est sa propre conscience.

— Une conscience sans mouvement?

— Oui, une conscience sans mouvement, sans objet de conscience. Sans contenu.

— Pense-t-il encore?

— Il pense encore un peu au début, juste après sa mort.

Après une courte pause, il ajouta: Il est alors dans le paradis et l'enfer, le souvenir des délices et des supplices du désir. Et puis ses souvenirs s'épuisent. Il n'y tient plus. Il meurt enfin.

— Et alors?

— Alors? Il n'y a pas d'alors, parce qu'il n'y a plus d'inquiétude, plus de questions, plus de liens. Son âme a atteint la sobriété...

Sobriété: le mot était inattendu. Il poursuivit:

— L'âme connaît la vie grâce au corps et le corps la connaît grâce aux sens. Ses sens lui permettent de rencontrer le plaisir et la douleur, la sensation. La vie est un désir de sensation de l'âme dont l'âme a perdu la maîtrise; elle est séduite. Elle est ivre. Ensuite, après la mort, elle passe par le paradis et l'enfer pour se désintoxiquer; lorsqu'elle atteint la sobriété, l'âme est libérée. Dieu te donne des sens et s'en prive. Il est le seul qui reste sobre au milieu de l'ivresse générale. C'est pourquoi il est sourd, muet, aveugle, incapable de sentir et de goûter. Il est immuable parce que n'ayant pas de corps, il reste libre des désirs. Il est la possibilité d'évasion, de trêve, de rêve de trêve.

Il examina cette possibilité un moment puis déclara:

— Dieu ne vit pas. Il organise la fête sans y prendre part. Il est discret, absent.

— Dieu existe-t-il?

— Très peu.

— Pourquoi parlez-vous aux morts alors que vous avez dit qu'ils sont sourds?

— Je ne suis pas *un* fou. Je ne parle pas aux morts. Je sais que les morts sont sourds. En regardant le monticule de terre devant lui, il dit: Il me prend dans le silence du simple fait qu'il ne répond pas.

Je me tus.

Une multitude de vieux filets levés, tendus dans une verticalité approximative par des morceaux de rames cassées, donnaient à ce cimetière un air d'agitation et de grande affluence. Telles des ombres d'hommes ivres, les tables de pierre gravées, usées, jadis dressées et maintenant titubantes, indiquaient la tête des monticules émoussés où les corps avaient été ensevelis. Quelques rochers inamovibles accentuaient l'impression de turbulence marine.

Il ajouta:

— Je parle à la mort. Je parle à celle qui sait. Je parle à celui qui, en moi, sait. La mort me le rappelle. Ainsi ma parole se confronte au silence et me révèle une réalité qui m'anéantit. Et il éclata d'un rire joyeux et sonore, scandé de ha! ha! forts et graves.

Colorant les façades de la ville, les pierres, les rochers et nos visages, le soleil rougeoyant coulait au large. Quelques secondes encore et il ferait noir.

— Pourquoi voulez-vous être anéanti?

— Lorsque le silence m'anéantit, mon âme rencontre l'absence. Mais bientôt elle voit que je désire bouger, agir, sentir. Ce qui désire connaître quelque chose ne peut plus connaître tout le silence. C'est pourquoi l'âme est toujours nostalgique de ce qu'un jour elle n'entendra plus rien; et déjà satisfaite pour la même raison.

— La nostalgie est à la mémoire ce que la constipation est à la digestion, dis-je. C'est une rétention de l'émotion, un manque d'hygiène mentale et affective, comme si on ruminait à l'infini le même aliment.

Il rigola fort et longtemps.

— Il faudra que je me souvienne de ça lorsque je serai mort.

Le lendemain, je le vis creuser une tombe.

— On veut croire qu'il y a un ailleurs à ce monde, mais bien qu'on veuille y croire, on ne souhaite pas y aller, dit-il comme s'il s'agissait d'une bonne farce.

— Cela rassure sans doute un peu d'y croire.

— Mais on ne veut pas y aller! C'est bien qu'on n'y croit pas vraiment.

— La vie pour le vivant est-elle une bénédiction ou eût-il mieux valu pour l'homme ne pas être né? s'interrogent les rabbins dans le livre qui s'appelle le Talmud.

—De toute façon, on ne le sait qu'après être né. Lorsqu'on se pose la question, il est trop tard!

—C'est vrai. Pendant longtemps j'ai regretté d'être né. Et puis je suppose que je me suis habitué à être et sans doute à souffrir. La vanité est un vaccin; tout est vanité, même le bonheur.

— Même la vanité! Et tes rabbins, qu'ont-ils répondu?

— Ils ont réfléchi là-dessus pendant deux ans et demi et puis ils ont voté. La majorité a décidé: il aurait mieux valu pour l'homme ne pas avoir été créé; mais puisqu'il l'a été, il lui appartient d'examiner sa conduite.

— Qu'est-ce que cela veut dire examiner sa conduite? Tes rabbins se posent une question métaphysique et donnent une réponse morale. Étaient-ils ivres pendant deux ans et demi?

— Le livre ne révèle rien des détails de leurs discussions. Mais la première moitié de leur réponse condamne le Créateur. Le seconde moitié invite chacun à observer ses désirs. Au cœur de n'importe quel désir, il y a le désir d'être.

— Alors, il n'y a rien à regretter.

Catherine Mavrikakis

Ruth Van der Molen

Vomito negro

Ça ne me passera pas. Il n'y a rien à faire, ça ne passe pas... Ça ne me passera jamais. Il n'y a plus que les anges qui passent. Et ils grimacent comme de ridicules démons. Ils tirent la langue, les diablotins, ils s'agrippent aux cheveux, déchirent le visage de leurs jolies petites mains blanches, de leurs ongles si fins; ils crachent promptement à la figure; ils persécutent, ils martyrisent, jouent à cache-cache entre eux, font des culbutes célestes, miment les pirouettes du destin et rigolent, rigolent en me montrant du doigt. Ils n'arrêtent pas de rigoler et de chuchoter perversement mon nom. Les anges m'appellent. Ma fièvre monte. Ça ne me passe pas. Mais je ne sais même plus de quoi il s'agit. Je sais que je n'arrête pas de vomir de la bile, du sang, de l'eau, des liquides, toutes sortes de liquides. Je me vide. Mais de quoi? J'expulse. Toute la merde en moi. Cette merde accumulée depuis ma naissance. Cette merde de laquelle j'ai vécu. Ça me sort par tous les trous. Je m'évacue, m'éviscère, m'extirpe mon propre pus, jaune, très jaune, mais ça ne passe pas. Et cette fièvre… C'est toujours là. Il reste toujours un nœud dans ma gorge, toujours un goût dans ma bouche, toujours une idée dans un coin de ma tête et tous les petits diables me le rappellent en piaillant. J'ai souvent envie d'en attraper un au vol, de lui tordre doucement le cou, de le voir souffrir et s'agiter et se tortiller sous mes mains. J'ai envie de lui donner la mort. Pour faire un exemple. La mort, c'est tout ce que je sais donner.

La mort, c'est comme un cadeau. J'ai des envies de tuer. C'est tout ce que j'ai. Que cela s'arrête ce manège maudit sur lequel je suis montée. Qu'on en termine avec ça… Que cela passe, une fois pour toutes. Vous ne pouvez pas refréner cette danse, la danse des petits anges, la danse des petits fantômes? Vous ne savez pas tout stopper, tout raccommoder? Que la vie arrête d'être aussi déchirée, en lambeaux. Une loque. Il y a comme une malédiction, il y a du maudit et du mal et de l'horreur. De cela, je suis sûre, et ça ne me passe pas.

L'enfance. C'est cela qui s'écoule, par le nez, la bouche, le ventre, tous mes cloaques. Cela se déverse et la fièvre monte. C'est l'enfance, la mienne et celle des autres qui s'attarde sur mes cuisses, qui me dégouline entre les jambes, sur les draps, qui s'accumule, se coagule sur le plancher et qui ira directement à la poubelle. Et vlan, un coup de balai, et je fous le tout dans le grand incinérateur du temps. C'est l'enfance dont je fais le deuil. Moi, petite, la morve au nez, les larmes plein les yeux, le ventre bien plein, moi, remplie du chagrin d'exister, du désir d'embrasser ma mère, moi riant devant la première neige de novembre et les flocons que j'attrape de mes mains toutes gelées et que je gobe, goulue... C'est cette petite enfant nerveuse, tremblante, frémissante, exsangue que je laisse sur le bord du chemin. Je t'abandonne, ma sale petite mioche. Je te fais de grands signes. Je ne me retournerai pas. Débrouille-toi, Catherinette de mon enfance. Débrouille-toi. Tu es froid, tu es faim, tu es malheur et pleurs, tu es envie de baisers et de retrouvailles avec un corps. Et j'ai passé ma vie à bercer ta douleur, je t'ai lovée en moi en cherchant follement à te consoler. En vain. Je me suis faite berceau. Je ne serai pas ton tombeau. J'ai passé mes nuits, sans repos et sans cesse, à saisir au passage tes plus horribles cauchemars, à les contenir, à les enfermer en moi. Ta douleur est trop vaste, ta douleur est trop intacte. Tu restes l'écorchée. Je te chasse, Catherine. Je t'évacue. Débrouille-toi. Je ne veux plus de toi. Je t'arrache à mes flancs. Et te voilà hors de moi.

Je ne te consolerai plus. Je n'y serai plus pour toi. Je te fais passer, comme on dit, et tu y passes. Tu t'écoules. Et je ne t'entends déjà plus. Tes pleurs. Je n'entends plus tes cris, ta complainte, tes sanglots, et tes hurlements. Tu y passes, ma fille. Mais quelque chose ne passe pas. Quelque chose ne passera jamais. Quelque chose est là dont je ne me souviens pas, dont je ne me souviens plus et que je dois absolument oublier pour parvenir à suppurer jusqu'au bout, à t'écouler jusqu'à la dernière goutte.

Moi l'engoulevent de l'enfance, je recrache tout et longtemps, mais il y a un hic, il y a un reste. Et la fièvre monte, et les anges et les fantômes se moquent de moi. Quelque chose ne passe pas, me reste en travers de la gorge, pèse sur mon cœur, quelque chose comme un petit ange, qui n'aurait pas de laissez-passer pour la vie.

Un enfant est mort. Mais je ne sais plus son nom. Il n'en a peut-être jamais eu. Il n'eut que les limbes. Pas de baptême, pas de cérémonie. Il n'eut que du blanc, que de l'insaisissable, de l'impalpable, de la négation. Il n'y eut rien, ou presque. Pas de tombe à creuser. Pas de larmes à verser. Pas de deuil à faire. Une poubelle et quelques mots. Anesthésie de mes sens. Un enfant est mort, mais il était sans existence. Et les anges me taquinent et les anges m'encerclent et tournoient au-dessus de ma tête. Cet enfant ne passe pas. Il n'y a que l'enfance que j'envoie aux enfers, que je jette dans les toilettes de la vie.

Il n'y a que moi dont j'ai pu me débarrasser. Mais de cet enfant mort sans nom, sans avoir respiré à pleins poumons, sans avoir exigé la vie, quelque chose ne passe pas. Quelque chose est là que je ne peux dissoudre. L'enfant mort reste et m'entrave. Et les anges m'asticotent et m'enragent. Et les fantômes me maudissent. La fièvre galope. Quelque chose s'est passé. L'enfance a débordé. Mais quelque chose ne passe pas.

Il aura fallu la mort, la mort de cette petite chose pour en terminer avec moi. Pour mettre un point final à ce que fut ma vie. Pour tuer toutes les petites Catherines en moi. Je n'ai plus d'innocence, plus de haine, plus de peur, plus de frémissement ou de joie devant la béance du monde, plus rien.

La petite Catherine est morte, je l'ai ouverte comme un furoncle et je l'ai laissée s'épancher hors de moi. La petite Catherine est morte et personne ne la pleurera. Catherine est passée comme une lettre à la poste, et on s'en remettra.

Mais l'enfant ne passe pas. Ce corps que j'avais pétri de ma chair, ce corps qui devait la remplacer elle en moi reste là. Quelque part, il me pèse. Je lui avais fait de la place. J'avais prévenu Catherine. «Bientôt, ma Catherinette adorée, ma petite bercée de l'apocalypse, je te demanderai de partir. Je te demanderai de foutre le camp, de déguerpir de mes entrailles. Ouste, va-t-en... J'attends un enfant, tu comprends, et de ta peur, je ne veux pas. Il n'y a pas de cohabitation. Pas de partage du territoire. Je te sacrifie, mon Iphigénie. Que les vents de la vie se lèvent à nouveau. Tu dois partir, ma vilaine, mon petit amour malheureux. Tu dois me laisser être et rire et courir.» Mais Catherine est restée. Catherine s'est agrippée à tous mes boyaux, elle s'est collée à ma peau, s'est serrée contre mes jambes et m'a sucé jusqu'à mon sang. Il n'y avait plus rien pour l'enfant. La vampire avait tout avalé, elle avait tout pris de moi et maintenant qu'elle s'écoule, comme le temps, elle expurge de grands morceaux de mon corps historique. C'est ma vie qui saigne et dans laquelle je baigne.

La vampire a tout gobé, et bien sûr l'enfant est mort. Mort sans avoir poussé un cri. Mort, mis à mort par mon passé.

115

Il y a comme une malédiction. Il y a le mal et il y a l'horreur. De cela, je suis sûre. Et les anges se rient de moi. Cela tourne dans ma tête, cela vole dans mon crâne. Les anges sont maintenant de minuscules chauves-souris qui m'agacent. Et la fièvre s'affole.

À la mort de l'enfant, j'ai attrapé Catherine, ma petite fille, par le bras, et je l'ai secouée jusqu'à ce qu'elle se détache de moi. Elle était si bien accrochée, elle. Depuis je saigne sans cesse, mais elle est passée. Et même si quelque chose ne passe pas, mon enfance est devenue passé, mon enfance est finie, mon enfance est morte.

Il aura fallu que quelque chose ne passe pas.
Les fantômes sont là pour durer.
Et les anges, les petits anges se multiplient.

Luc LaRochelle

Juillet 94

Geneviève Cadieux

Les fleurs et tout le reste

C'était la mi-décembre, il y a cinq ans. Au moment où il entra dans la pièce, Paul se demanda s'il allait faire la bonne chose, au bon moment.

— Je suis venu te dire que c'est fini. Tu peux partir.

— Non, pas tout de suite.

— C'est assez, tu dois t'en aller.

— Je veux rester avec toi. Au moins jusqu'à Noël. Après, on verra.

La discussion ne pouvait pas durer. Anne était déjà épuisée. Mais Paul ne pouvait plus reculer. Il lui vint le souvenir d'un Noël de son enfance, quand il s'était senti enveloppé. De chaleur et de quelque chose qui ressemblait à une certitude. Qu'il n'avait pas retrouvée depuis. Du moins pas avec les femmes.

Il se tenait debout, au pied du lit, les yeux plantés dans ceux d'Anne. Elle ne put soutenir son regard. Des larmes coulaient lentement sur ses joues creuses. Paul pensa que tout cela n'était qu'un accident. Qu'ils ne s'étaient pas choisis. Elle regardait les collines enneigées, du côté de la Beauce, quand elle dit: «Ça n'a pas été facile entre nous.» De la tête, Paul fit signe que non. Il aurait voulu faire autrement. Mais ce n'était plus le temps des mensonges. Il avait longtemps cru que les choses s'arrangeraient. Qu'elle deviendrait moins possessive, plus tolérante. Plus tendre aussi.

Il s'approcha d'Anne, lui embrassa le front, serra très fort ses mains froides dans les siennes. Et sortit sans se retourner.

En regagnant sa voiture, Paul pensa qu'il accumulait les ruptures. Sans devenir meilleur. Il avait son repas du midi en travers de la gorge. La bretelle de l'autoroute était glacée.

Anne, sa mère, mourut pendant la nuit.
Un cancer contre lequel elle s'était trop battue.

Marie-Christine Lévesque

Ruth Van der Molen

Vide

Il a fallu retirer le magret, les frites, les glaçons pour mettre Bruno dans le congélateur. Les morts prennent de la place, même les petits morts. Pour être exact, Bruno s'est révélé plus costaud que nous ne pensions; heureusement, il n'était pas raide encore, nous avons pu l'y recroqueviller. Je ne disais jamais Bruno, je disais *bébé*.

Durant l'opération, je n'ai cessé de penser à ma mère. Quand elle nous visite, elle ouvre toujours le frigo, les armoires. Elle a des commentaires — dits comme ça — sur l'hygiène, la date d'expiration des choses, l'ordre *immanent*. Vous imaginez. C'était une chose d'annoncer à ma mère la mort de Bruno. Autre chose qu'elle le découvre *raide* mort dans le congélateur.

Mon mari a proposé de sortir Bruno sur le balcon, mais le thermomètre indiquait 1° Celsius. Je lui ai dit que nous pouvions surseoir. À ce moment, ma mère était en retraite fermée chez les moines de Saint-Benoît; cela nous donnait au moins une semaine pour trouver autre chose. Comme on dit, une solution.

*   *   *

Dans la même semaine, le magnétoscope s'était brisé, l'imprimante avait manqué d'encre et Bruno était mort. Tout cela nous avait terriblement fragilisés. Pensez. C'était une chose de perdre ses ovaires. Autre chose de perdre Bruno. Cette fois, c'en était fait. J'ai jeté la couverture bleu ciel. J'ai jeté le petit panda avec juste une oreille. J'ai jeté les photos d'anniversaire, un an, deux ans, trois ans… Plus jamais je ne dirais *bébé*. Mon mari a proposé que je fasse une thérapie.

À vrai dire, c'est de famille; un problème d'organes reproducteurs. Mon père a toujours soutenu que pareille dysfonction était à l'origine de la folie de ma mère, et de sa mère avant elle. Il s'appuyait en cela sur l'étymologie — la famille des mots, pourrait-on dire — à preuve, les mots *utérus* et *hystérie* qui, selon l'expression de mon père, sont du même lit.

*   *   *

Après l'hystérectomie, l'infirmière m'a apporté un petit paquet blanc. Elle m'a dit: «C'est votre bébé!» Quelques serviettes attachées ensemble, une espèce de coussinet pour le ventre. À l'hôpital, ils appellent ça un «bébé». Pendant une semaine, j'ai tenu mon «bébé» contre mon ventre. Plus tard, durant ma convalescence, mon mari m'a fabriqué un «bébé» maison avec une serviette rose.

De la chambre, je pouvais voir sur le mur du couloir le grand tableau (152 X 123 cm) que nous avions acheté pour couvrir exactement une brèche. Il représente un visage d'enfant. Dans le coin supérieur gauche, l'artiste a écrit à la mine le mot *vide*.

* * *

Les séjours de ma mère à Saint-Benoît remontent à la mort de mon père. Je crois que ma mère a toujours aspiré à une forme de sainteté. Il faut dire que cela lui est rendu, car la Vierge lui est apparue quelques fois. Nous n'en avons aucune preuve, mais nous n'avons pas non plus la preuve du contraire.

Mon mari aimerait bien, s'il meurt, que je le fasse empailler. Cette idée lui vient d'un documentaire sur Pierre le Grand. L'empereur avait coutume de faire empailler des géants et des monstres (des enfants à deux têtes, des moutons à cinq pattes...) qu'il exhibait dans son Cabinet des curiosités. Mon mari serait debout dans le salon et il continuerait de regarder des documentaires à la télévision, de faire des commentaires dans sa barbe.

Mon mari dit toujours: *si je meurs*, comme s'il avait le choix.

* * *

De fil en aiguille, nous nous sommes accommodés de la présence de Bruno dans le congélateur. Dit autrement, la vie eût été inimaginable *sans Bruno dans le congélateur*. J'ai souvent pensé que si ma mère avait gardé mon père dans le grand congélateur du sous-sol, elle aurait eu une vie, disons plus normale. Mais n'y pensons plus. Ma mère a cassé maison, comme on dit.

Depuis que mon père est mort, nous ne l'avons plus jamais revu.

*   *   *

Au sortir de sa retraite, ma mère nous a visités. La veille, il faisait -10°, ce qui nous a permis de retirer Bruno du congélateur. Plus exactement, c'est mon mari qui s'est chargé de l'opération. Entre-temps, je suis allée faire l'épicerie. Crème glacée, frites congelées, plats surgelés. Autant en profiter. Quand je suis revenue, mon mari m'a dit que ça avait été plutôt difficile. J'ai dit: je comprends. Il a précisé: difficile *techniquement*.

Mon mari a rangé les choses pendant que je changeais quelques cadres. Quand ma mère nous visite, je fais toujours de petits réaménagements. Par exemple, à la place du tableau «vide», je pose au mur une nature morte qui a exactement les mêmes dimensions. Cela nous dispense d'entendre ma mère demander: «Pourquoi cet artiste a-t-il écrit «vide» sur le tableau?»

*   *   *

Ma mère a tout de suite demandé où était passé Bruno. J'ai noté que «passé» était le mot approprié. Néanmoins, j'ai répondu: à la campagne. Ensuite, elle a ouvert la porte du frigo, les armoires de cuisine, le garde-robe d'entrée. Elle a fait des commentaires sur le pot de cornichons à l'aneth (expiration 05-97) et sur l'amoncellement de plats *tupperware* qui débordaient de l'armoire au-dessus de l'évier. Mon mari a dit que ces petits plats étaient bien pratiques pour placer les restes humains, une fois qu'on les a découpés en morceaux.

Ma mère n'a pas ri. Comme on dit, nous avons laissé ça mort. Après le souper, nous sommes passés au salon. Ma mère nous a dit que la Vierge lui était réapparue à Saint-Benoît. Elle l'a dit sans en faire de cas; il y a un village en ex-Yougoslavie, Medjugorje, a-t-elle précisé, où la Vierge serait apparue au moins 7 000 fois. Le Vatican a fait enquête. On a placé des électrodes sur les «voyants». On a pu authentifier leur état d'euphorie durant les apparitions, c'est-à-dire un état modifié de la conscience. Ma mère s'est dite outrée. Si le Vatican n'a pas la foi — et elle a appuyé sur le mot *foi* — qui l'aura?

*   *   *

Avant de se coucher, ma mère est allée à la cuisine pour prendre de la crème glacée. Nous avons entendu un cri terrible. Ma mère était tremblante devant la porte ouverte du congélateur, avec son index qui pointait avec horreur à l'intérieur. J'ai regardé. C'est vrai, il y avait de longs poils collés au givre.

Comme de raison, ma mère a reconnu Bruno. Plus exactement, elle l'a *identifié*. Elle répétait où est Bruno où est Bruno. J'ai dit Bruno est mort. J'ai expliqué que nous avions l'intention de l'enterrer nous-mêmes derrière la maison. La terre étant trop dure en décembre, il fallait attendre le printemps. Ma mère a dit qu'un congélateur, c'était fait pour conserver les vivres. Ma mère n'a pas fait *ça* avec mon père, mon père est enterré dans un cimetière, avec les morts. Mon mari a fait allusion au *Ice Man*, ce résidant suisse qu'on a retrouvé dans les Alpes, parfaitement conservé après cinq mille ans.

Ma mère a refermé le congélateur sans prendre de crème glacée.

*   *   *

Avant de partir, ma mère nous a laissé une image sainte. C'est la Vierge avec son bébé dans les bras. Nous l'avons aimantée sur la porte du congélateur. Nous avons remis Bruno à sa place et tant que je vivrai, il y restera. Mon mari dit que c'est de la cryothérapie. Voyez vous-mêmes dans le dictionnaire: *traitement par le froid*.

Jocelyne Légaré

Carl Valiquet

Delenda Carthago[1]

Trop de figues. Je produis trop de fruits.

J'étais princesse de Tyr, Phénicienne et princesse. Il y a bien longtemps, bien avant votre naissance à vous tous. Bien des morts, bien des naissances nous séparent. J'étais princesse et j'avais un frère, Pygmalion. Maintenant je m'appelle Didon, je règne sur Carthage, je n'ai plus de frère, je me suis enfuie.

* * *

Je ne sais pas pourquoi j'ai toujours voulu voir Carthage. J'étais mauvaise élève, à peine aurais-je su où situer cette ville sur une carte, mais dans ma mémoire elle vibrait d'une intensité si grande que

---

1. Paroles par lesquelles Caton l'Ancien terminait tous ses discours, sur quelque sujet que ce soit. S'emploient pour parler d'une idée fixe, dont on poursuit avec acharnement la réalisation, dans Le Petit Larousse illustré 2000, p.1091.

nul n'aurait pu m'empêcher d'y aller un jour. Kart-Hadasht, La Ville Neuve, comment aurais-je pu ne pas m'y rendre?

Le 24 août de cette année, nous sommes parties, ma fille Julia et moi, pour Carthage. Des ruines, la mer, le soleil. Qui sait pourquoi? La beauté fait mal, parfois.

*　　*　　*

Je suis née dans la plaine entre la mer et les monts du Liban. J'étais quelqu'un, peut-être même quelqu'une. J'étais la femme du prêtre de Melquart, le grand dieu de Tyr. Mon père qui avait un grand royaume l'a partagé ainsi: moitié pour Pygmalion, moitié pour moi. Mais il n'en avait pas encore assez. Il a fait tuer mon mari. Veuve, j'ai quitté le pays qui m'a vue grandir. Je me suis établie très loin sur les rives de la Méditerranée que j'aime comme une mère toujours recommencée. J'ai fondé une ville. D'abord j'ai cherché, j'ai fouillé la terre, trouvé un crâne de vache, ne l'ai pas aimé, fouillé encore, trouvé une tête de cheval et me suis dit: «Voilà, c'est ici.» Les indigènes m'ont donné cette peau de bœuf et ils m'ont dit: «Cette peau est pour toi, sers-t'en pour délimiter l'espace que vous occuperez, toi et les tiens!» Je suis maligne, j'ai découpé cette peau en très fines lanières que j'ai posées au sol: le périmètre de ma ville en est devenu considérable. Mon frère était loin, j'avais renoncé à me remarier, j'étais puissante.

*　　*　　*

Il fait soleil toute la journée. Julia apprend à écrire son nom en arabe, elle ne veut pas voir sa mère pleurer. Sa mère est une guerrière. Sa mère ne doit pas s'effondrer. Sa mère est une reine, au milieu d'une bataille qu'elle doit gagner. Peu importe le prix, il s'agit de résister, de refuser le désir d'échec qui s'est emparé d'elle, de ne pas tout confondre, et l'amour et la vie, et la puissance et la mort.

*   *   *

On raconte deux choses à mon propos. D'abord que pour éviter de me donner en mariage au prince des Lybiens qui m'avait accueillie en terre d'Afrique, et ce faisant perdre le pouvoir sur ma ville, j'ai fait un grand bûcher, signe de réjouissances. Que j'ai dressé le bûcher pour m'y brûler parce que mon seul désir était de régner seule sur Carthage. Que je suis l'insatiable Didon. On dit aussi que je suis une femme amoureuse et qu'entre lui, ce Pygmalion voleur et beaucoup plus tard Caton, ce janséniste des centaines de siècles avant l'heure, il y a eu Énée. On dit que le ver était là dans mon cœur. On dit que je suis une femme amoureuse et qu'Énée a eu raison de moi. On dit et je laisse dire.

Mes figues, mes fruits, tout pour Énée.

J'ai fondé la ville et je me suis couchée sur le feu qui brûle jusqu'à la fin. La mort n'est pas grand-chose quand on est habité par tant de rêves échoués. Les ports sont avalés par les sables. J'erre parmi les mânes des enfers. Je cherche encore Énée. Je suis Didon pour l'éternité.

*   *   *

133

J'ai creusé ma tombe non pas dans l'olivier mais dans du bois d'érable presque blanc. Chez nous on ne s'incinère pas sur des bûchers, on s'enterre. Il neige beaucoup. Je suis du froid, Didon était du soleil.

Tu viens du même pays qu'elle, c'est un pays plein de cèdres, d'oranges et de vignes, d'olives charnues et de femmes qui sont belles. Tu parles arabe, je parle français. Avec l'accent des gens du Nord: un peu de neige sur la langue, de la glace au fond de la voix. Parfois, quand tu m'appelais de très loin, il m'arrivait d'entendre le son du muezzin. Tu es entré dans ma vie auréolé du prestige de ceux qui viennent d'ailleurs. Avec dans tes bagages des souvenirs de guerre et le désir profond de planter tes pénates dans une terre nouvelle. Tu connaissais le désert et l'exil, le soleil qui brûle la face et les silences de ceux pour qui la parole est précieuse. J'ai été séduite. Je ne savais rien de la ruse des hommes de là-bas et tout du manque d'égards des hommes d'ici.

Maintenant que nulle trêve n'est possible, après avoir perdu le Phénicien, dois-je aussi lui sacrifier la Phénicie, mettre mes terres en jachère, brûler mes vaisseaux? Fuir ou me battre? Au risque d'épuiser ma vie en vains combats. Qui connaît la joie de vaincre l'adversaire sait combien difficile est le renoncement. Me battre m'épuise, renoncer encore plus. Vaincre, alors. Et me battre encore contre Pygmalion, contre Caton qui répète, tenant à la main cette figue fameuse: «Il faut détruire Carthage.» Delenda Carthago.

*　　*　　*

Quand tu es parti, j'étais défaite. Défaite et coupable. Une femme du Nord, pour un homme du Sud, ne doit jamais croiser le fer. Était-ce amour, était-ce mensonge? Je n'en sais rien, je sais seulement qu'on ne s'immole plus par le feu quand on aime et que part l'homme aimé. Vers ailleurs, vers son destin, de Troie vers Rome on s'arrête encore en chemin, mais pas plus qu'avant on n'arrive à retenir un homme quand il veut, quand il doit, dit-il, partir. Tu es parti en février, le mois de la Saint-Valentin.

«Tu avais résolu de délier et ton ancre et ta foi, pour chercher un royaume d'Italie que tu ne savais pas même où trouver.»[2] Depuis, je vis dans l'obsession de cette trahison, refusant l'abandon et la peine, cherchant par mille moyens à défaire l'histoire, à recréer du sable du désert la vie.

L'amour n'est-il jamais que cette galère, que ce mensonge atroce, que cet appareillage secret au cœur de la nuit vers la mythique Italie? Une illusion, un combat silencieux entre amants ennemis, laissant pour morte une reine trop fière que tue l'orgueil, l'insensée?

Ma colère gronde.

Que le vent te jette sur les rochers acérés, que le vent déchire tes voiles, que la mer t'engouffre et te tienne prisonnier, que

---

2. Ovide, *Lettres d'amour, Les Héroïdes*, tr. fr. Théophile Baudement, éditions de Jean-Pierre Néraudau, Gallimard, collection «Folio Classique», 1999, p. 85, lettre VII.

la mer te rentre par le nez, par la bouche, à gros flots bouillonnants, que ta bouche cherche l'air et que ta chair mourante se révulse en mourant. Je ne me brûlerai ni pour toi, ni pour un autre, je ne vivrai ni pour toi, ni pour un autre. J'ai retenu ma colère jusqu'à perdre l'envie de vivre, je l'ai tue, je l'ai combattue.

*   *   *

C'était au temps des Romains. C'était eux les vainqueurs. Énée parti, Caton enragé. Carthage vaincue, rasée, reconstruite. La vieille Carthage n'est plus mon affaire.

Carthage a reçu le nom de Colonia Julia Concordia Carthago.

Nous aussi nous rebâtirons la ville sur les ruines de l'ancienne ville et reprendrons possession de notre âme en échappant aux guerres qui, toujours, se jouent sur le mauvais terrain.

Viens, ma fille, nous appareillons!

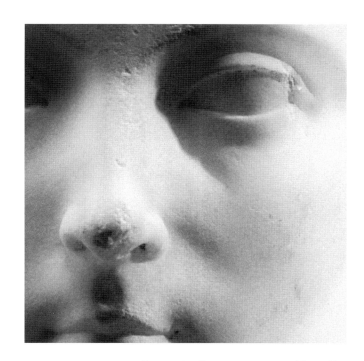

Portrait d'une princesse (détail)

Musée de Carthage

Anne-Marie Alonzo

La mort d'Héliane

Ma mère est morte.
Le 5 avril.

Les mots sortent ainsi froids, calmes sur le papier. Je ne dis pas
décédée ni *disparue* ou encore *partie*. Je dis *morte*. Ce me semble
plus vrai. Plus net.

Ma mère est morte.

Il y a dans ces quatre mots une bombe. Il y a un bruit sourd.
Une rafale de mitraillette. Trois coups de baïonnette.

Ma mère est morte qui ne devait jamais mourir.

Moi je suis là, un mois plus tard.

Je suis là vivante ne voulant plus l'être.

Voilà.

Tout est dit. Tout reste à dire. Ma mère est morte. La vie me trompe me trahit. La vie pourtant reste là immuable. Viens me dit-elle continue. Moi je lui crache au visage.

Laisse-moi tranquille. Fous-moi la paix.

Je dis tout ça en silence. Je dis je crie je frappe. Immobile je me crève les yeux. Œdipe je pleure ma mère en-allée. Je hurle à la mort la supplie de me prendre de m'enlever de me ramener ma mère mon enfant ma chérie de la ramener sur-le-champ de la ramener ou de m'éteindre.

Que je m'étende tout contre elle, que je m'étende lui chuchotant mots d'amour et de fureur.

Je dis cela. Je parle sans parler. Je pleure sans pleurer.

Le froid me hache finement les os sous des chaleurs torrides.

Tout est silence. Et lenteur. Tout est noirceur.

Et puis soleil.

Tu es Héliane, fille d'Hélios. Tu es soleil fille de Soleil.

Tu dis Héliane avec un H. Tu insistes précises épelles.

Je dis Héliane avec un H.

Je suis soleil fille de soleil. Je suis toi maman. Je dis: *maman* les lèvres gercées par ton absence. Je t'appelle sans te nommer je chuchote. M'entends-tu?

Tu entendais tout avant même que j'aie besoin de toi.

Tu entendais savais tout. Tu te levais en pleine nuit disais: *tu m'appelles? Tu as besoin de moi?* Et tu accourais, légère. Tu arrivais au pied du lit. Tu me frôlais la joue, le cou, les reins.
Tu savais le mal du bout des doigts, tapotais, caressais, la douleur te fuyait, sauvage.

Tu me connaissais par cœur, maman. Mon corps immobile, mon corps dépendant t'appartenait. Tous les matins tu le lavais, le séchais, l'habillais. Tu me préparais pour la journée, tu me faisais asseoir, nous parlions alors des heures de temps jamais lassées. À 47 ans, je n'étais pas seulement ta fille, j'étais ton enfant.

Aujourd'hui je te pleure et je pleure des heures durant. Je pleure mon chagrin et ma peine. Je pleure mon cœur et mon âme. Je pleure maman comme on sanglote et vomit. Je pleure.

Je suis épuisée. Les heures sont dures, les jours et les mois sont durs. Chaque seconde me semble-t-il. Tout. Et dans l'infinité du moment je m'effraie d'imaginer tant de dureté pour l'éternité.

Vivrai-je?
Survivrai-je?

Je t'ai dit, t'ai demandé de partir, de quitter plus tôt pour moins souffrir, pour contrer le mal. J'ai dit, je me souviens: *si tu veux partir plus tôt, je comprendrais.* Tu as dit oui. Tu as dit: *je sais que tu comprendras.*

Tu savais cela comme tu savais sans jamais l'avoir appris toutes mes tentatives de suicides.

Trois fois. Trois fois j'ai voulu, essayé, raté.

Jamais la peur par contre. Mais la force de vouloir. Mourir. La joie d'y penser. La joie de se préparer, de savoir, d'être seule à savoir. La fin viendra. La fin finira par venir. Et toute la douleur du monde, toute l'infinie douleur, toute cette douleur du corps, de l'âme, du corps surtout. Toute cette douleur cessera enfin, le chant de la douleur cessera enfin, la danse de la douleur cessera, tout l'art, toute la beauté de la douleur cesseront enfin.

Simon Geraghty

Denis Hirson

traduit de l'anglais par Katia Wallisky

Marie-Christine Lévesque

Jardiner dans le noir

Chaque blessure est une source
Edmond Jabès

Le bonheur n'a pas de père. Aucun bonheur n'a
Jamais appris du précédent, et il disparaît sans héritiers.
La tristesse, elle, a une longue tradition,
Elle passe de cœur en cœur, de regard en regard.
Yehuda Amichai

«Durban — debout», j'entends la voix de mon père chantant dans mon sommeil. «Durban — debout». Il étire le premier mot et baisse d'un ton pour le second. Je me pelotonne en dessous: même en décembre il fait froid à Johannesburg au petit matin.

Sa main ferme attend sur mon épaule; son visage se détache sur fond noir au-dessus de moi. Il n'est rien que je ne ferais pour l'ébène de ces yeux, pour cette moustache brune qui s'envole vers des joues bien rasées. Mais l'amour est peu de chose face à la lourdeur du sommeil.

149

Il déboutonne mon pyjama en marmonnant quelque chose à propos de la Mini Morris grise. Durban est à quelque six cents interminables kilomètres. À chaque arrêt, la vapeur jaillit du radiateur comme d'une bouilloire. Les champs décolorés à perte de vue de Free State sont plus rapides que nous, le bus vert et nauséabond qui nous double de temps en temps aussi.

Mais après une journée de route ou plus, dans un virage, on voit la mer briser sa langue de verre contre le noir: merveille de l'eau vive après Johannesburg, toute sèche comme la croupe d'un dépôt minier.

On est en 1957, 58, 59. Tout va toujours à peu près bien. Nous sommes à la porte de notre hôte: mon père, ma mère et moi, invités une fois encore, apportant un gros jambon rose vif; nous entrons dans une pièce accueillis par des voix chaleureuses, le parfum du tapis de coco et de la goyave, le vin et le fumet du poisson dans sa cotte de mailles au sortir du four.

Je reste tard éveillé dans ma chambre. La mer se rapproche maintenant qu'elle est loin des yeux, un bruit constant qui polit la nuit.

On est en 1960, 61. Les cosses de l'arbre à corail éclatent sous le soleil. Un homme s'enfonce dans les vagues et en émerge avec un panier plein de sardines. Mon père vient se promener avec moi sur la plage tachetée de titane. Quelque chose n'est déjà plus tout à fait pareil.

Mon père fraie son chemin, les pieds cabossés de bandage et enduits d'onguent, le visage déterminé, tendu. Il marche à mes côtés, il est seul pourtant, de la plage jusqu'à la route surélevée qui se transforme en parapet sous son pas. Le fracas de la mer monte dans son silence.

De retour à Johannesburg, il sort après le dîner. Il est parti pendant des heures, là où les chiens brisent le repos de leurs aboiements, là où dans les fissures rampe l'odeur intime du jasmin, là où les noirs sont absents, bien que la nuit porte leur couleur.

Il traverse 1962, 1963, jusqu'à l'été de Durban de 1964. À ce moment-là, j'ai déjà tout compris sur les journaux: on commence par la fin avec les nouvelles sportives toniques, on remonte et on tombe sur des faits divers qui trahissent le tribut à payer à la loi.

Juillet 1964, assis sur la plage ventée de Durban, je regarde la première page. Il y a du sable bosselé partout. La mer est basse et lointaine, seuls les mots devant moi sonnent fort: il a été arrêté, il a été arrêté. Je ressens de la rage, je m'endurcis contre elle; je veux m'écouter et c'est le cri aigu des mouettes que j'entends. Dans la tension de la solitude, j'anesthésie la blessure et m'apprête à être fier.

*　　*　　*

Pretoria est la capitale du malheur. Je vais revoir mon père, mais c'est dur d'y arriver. Ma mère prend ma main, la sienne est glacée. Des voitures encombrent la route en tous sens; Paul Kruger se dresse contre nous sur son piédestal. 30 novembre 1964. Il a fallu des mois d'attente pour parvenir à la porte du tribunal.

Avec nous, Grand-mère Lily et Tante Essie, des reflets bleutés dans les cheveux, des sacs noirs, des sourires gris, seuls membres de la famille à assister au procès. En contrebas dans la fosse de la salle d'audience se tient mon père, noyé dans l'opaque d'une loi étrangère. Autour de nous, la robe des décideurs de destin danse sur le plancher. Ma mère dit à mon père, neuf ans, c'est long. Je n'arrive même pas à traverser la minute qui suit.

Il y a entre nous un silence qui s'étire quand on l'emmène. Dehors, dans les rues de Pretoria, c'est encore le même jour.

Nous roulons en dépassant des champs d'herbe effilée, un accident, une charrette tirée par un âne, chargée de toile de jute et de bouteilles vides, nous longeons la township d'Alexandra, épave échouée contre Johannesburg. Puis nous voilà à la maison: ma mère et moi, un petit frère, une petite sœur et personne d'autre. Personne d'autre ne s'assied à table, n'anime la conversation, ne sort le soir en promenade.

Personne d'autre ne rentre à la maison, planter des cactus dans le jardin, corriger des copies d'examen tout en fredonnant des airs de Bach à hautes doses, en soufflant ses pensées avec la fumée d'une pipe qui sent les roses brûlées. Personne d'autre ne somnole dans le fauteuil avec une Série noire à moitié lue à cheval sur la poitrine. Personne d'autre dort sans matelas dans un lieu lointain, innommable. Des barreaux, une table, un seau, une porte claquée au nez.

Certains disent que l'absence fait désirer le cœur. Ou bien que l'absence le fait grandir. L'absence constitue le cœur en quatre antichambres où le sang attend. Et l'attente le fait vieillir.

1965, 66, 67. Avec ma mère nous roulons dans le sens inverse du paradis. Mon frère et ma sœur sont encore trop jeunes, répètent les autorités. Le ciel est une pierre bleue ouverte, la voiture une boîte de chaleur. Nous sommes coincés derrière un camion de plus, en troisième, et le moteur peine. Ses compétences récemment acquises en conduite ne permettent pas encore à ma mère de doubler.

Soixante kilomètres séparent Johannesburg des premiers murs de Pretoria, brique sur brique rouge balafré de la prison. Derrière le néon glacé de l'entrée, des blocs d'ombre divisés par le faible éclairage des corridors, la musique morne des bottes et des clefs.

Mon père émerge de ces enfers. Plus svelte que jamais, dans une veste de velours côtelé couleur terre de labour, il s'approche d'une vitre en plexiglas dans le parloir: mince écran d'intimité qui nous prive d'intimité. De son côté et du nôtre, les gardiens rôdent. Des trous dans l'isorel gobent de toutes parts ce que nous disons. Trente minutes, et l'obscurité le reprend en plein jour.

Mois après mois, il est là mon père, avec sa volonté défaite, devant la femme qu'il ne peut pas toucher et la turbulence contenue de son fils aîné. Nous sommes autorisés à parler de tout sauf de ce qu'il veut vraiment entendre: des nouvelles de la politique du vaste monde, d'au-delà de ces murs bâtis pour tenir le temps à l'écart.

Pretoria. 1964 à 1973. Neuf ans de vie ensevelis. Mon père libéré dans la lumière dure de novembre puis contraint de quitter son pays, et nous le suivons. Une fois encore le sable est lavé des racines de l'arbre familial.

* * *

Londres 1974. Je regarde mon père s'éloigner, des fourmis dans les chaussures depuis neuf ans pour fouler toute l'étendue d'une rue. Il va enseigner, les énergies de son corps alimentent la clarté de ses idées. Un halo de vapeur se forme sur sa tête presque chauve, tandis qu'il se prépare à ressusciter l'histoire de la lutte des classes.

Le voici de retour au nord de la ville, à son bureau, derrière un écran de buis, de pommier sauvage et de cognassier, dans le jour filtré par les rideaux, absorbant l'air vieilli de la bibliothèque. Des livres, des revues, des articles, montent en étages autour de lui jusqu'au plafond, contre la porte, sur un banc et sur le sol; ils s'agglutinent, se mélangent, se multiplient, ne laissant de place que pour un seul homme.

Les années avancent mais lui retourne en arrière, les doigts noueux, l'arrête forte du nez tombant du front vers les flèches blanches de la moustache, pliant son esprit au service de la prochaine longue période.

Je viens en visite, lui fais la bise sur les deux

joues, comme on l'apprend en France. Reçois un regard un rien méfiant. Sais pas de quoi parler, n'en ai pas l'occasion. Il est de retour en Afrique du Sud dans les années 30, 40, 50. Me présente une foule de gens que je ne peux voir.

Il parle, il parle, les mains remuant l'air, peine à reconstruire un peu plus de la demeure du passé. Quand il a fini, je suis laissé à l'extérieur. Dans le champ muet de la solitude, les mots prennent racine quand l'écrivain prend son essor.

Derrière nous, à des années de là, Grand-père Joe, celui qui l'a renié, terré dans son fauteuil entre le rideau de mousseline et le flot poussiéreux de la fougère. Odieux à sa femme, à sa famille, à son domestique, la langue agile comme un gouvernail pris dans la boue.

Grand-père Joe, notre germe de refus, planté dans l'interminable après-midi de sa vie, choisit sans un mot entre le *Reader's Digest*, le *Popular Scientist* et un roupillon. L'année prochaine à Jérusalem, disent les juifs. En Afrique du Sud, dit mon père, en lisant les nouvelles affligeantes.

1976, 1984, 1989. Pour l'exilé, l'histoire arrive d'un autre lieu, un autre temps. À Londres, changer c'est seulement entre les lignes de métro. On est en 1990, 1994, et le corps de mon père le mène tout juste à la porte qui retient le journal du matin dans ses dents de cuivre.

Il dissèque les pages sur la table de la cuisine. Sur le côté, le flou laissé par ma mère, son fil d'Ariane, descend le long couloir vers le sens qu'elle trouve en étant médecin.

Des bas et des chemises font des galipettes au-dessus de sa tête, se moquent de sa condition et du cocktail de pilules qui l'attend. Encore heureux s'il travaille une heure aujourd'hui, avant de s'écrouler, avant d'être terrassé par la douleur et la dépression, avant d'être repris par le sommeil attendu.

*   *   *

Saint-Mandé; 26 décembre 1999. À la première heure, le vent commence à agiter le jardin: en une vague implacable, il fonce et son rugissement enfle. Maison, arbre, buisson, tous sont invités à tester les limites de la vie terrestre.

À la fenêtre, un buisson se tord et vibre, se met à genoux et se redresse, tremble de toutes ses feuilles. Il se casse en deux, une moitié épuisée sans vie, l'autre se rend au courant qui l'engloutit.

De l'autre côté de la route, dans le Bois de Vincennes, c'est le carnage. Dans un fatras de bois tordus, d'écorce, de gui, d'odeurs de sève crue et d'herbe écrasée, une multitude d'arbres couchés, seuls ou l'un contre l'autre. Certains prennent les toits de voiture pour coussins, d'autres plongent dans le lac.

Deux tiers seulement des arbres tiennent encore debout. Mon père, non. En septembre, quelques semaines après avoir perdu l'usage de ses bras, il a décidé de mourir sur son lit d'hôpital, devant une fenêtre qui réduisait la ville à un bocal de feuilles et de ciel. Il a glissé

du bord du sommeil dans le coma; s'éveilla une fois quand je lui secouai l'é-
paule.

Il a ouvert les yeux, a demandé trois verres d'eau
et une étreinte, d'une voix poudreuse. En me penchant sur lui, j'ai remonté le
couloir de ses dernières années; les tas de livres, le pieux murmure de l'ordi-
nateur, les pages couvertes de mots en filet pour attraper le temps en fuite, à
travers l'obscurité percée par les regards vigilants de ma mère jusqu'à la fin.

Retour à la mer du malheur, à l'île prison et
l'odeur morbide de la loi. Retour à mes douze ans, dix ans, moins, lui dans
le jardin d'avant. Dans ses bras à nouveau, avec un voyage à poursuivre.
Le 3 octobre 1999, au petit jour, il est parti.

Il a choisi de ne pas être enterré, refusant de
reposer: mon père l'intranquille parlant d'un ton mesuré et insoumis, marche
avec moi jusqu'à la maison.

Le long du sentier du jardin, parmi les débris de
bois, je l'emmène chez les survivants, le buddleia et le berberis, le bouleau aux
traits d'argent terni. Sur le seuil, je suis avec lui, tronc, branche, bourgeon
sous ma peau, grandissant dans sa chaleur et sa pesanteur.

La Vierge de Manchester

Michel-Ange

Nancy Huston

Ta belle mort

Je voudrais te raconter tes funérailles. Ne faisons-nous pas tous le rêve, enfant, d'assister à nos propres funérailles? Et n'étais-tu pas enfant jusqu'à la fin? Ris! oh, toi avec qui on a si souvent ri en planifiant notre mort respective...

Oh c'était magnifique, sincèrement, tu aurais adoré cela, tu aurais senti les poils se dresser sur tes bras, comme l'été d'avant, quand tu as fait une tournée des églises et des jazz-clubs de la côte suédoise pour donner des lectures, accompagné d'un chœur chantant Schütz, Bach, et de la musique arabe, macédonienne, cubaine, suédoise... Oui c'était pareil ce jour-là, à la Maria Magdalena Kyrka de Stockholm, au mois de février dernier: nous étions tous figés, électrisés par la beauté...

Maintenant c'est le mois de septembre et, un jour de la semaine dernière, je ne veux pas savoir lequel au juste, cela a fait un an que je t'ai vu pour *la dernière fois*, la fois ultime, non je ne veux pas savoir quel jour tu as repris l'avion pour Stockholm, quel regard posé par mes yeux sur ton visage a été le dernier... Plutôt, je voudrais te dire l'immense bonheur qui, le jour de tes obsèques, reluisait parmi la tristesse — tout comme, dans le jardin de l'église, la nouvelle neige reluisait parmi les vieux arbres penchés et les vieilles pierres tombales... Toi tu n'avais pas encore de pierre tombale mais tu avais d'ores et déjà une deuxième date, jouxtant ta date de naissance sur le programme de la cérémonie: une date de décès pour remplir le vide laissé après le tiret dans les catalogues, les bibliographies, sur la pierre tombale...

J'écoute ta voix. Étrangement, nos techniques modernes nous permettent de renouer avec les plus vieilles croyances de survivances et de fantômes. Grâce à l'enregistrement du son et de l'image, je peux entendre encore et encore, si je le désire, le timbre précis de ta voix, et te voir comme tu étais ce soir-là, au mois de septembre dernier, le soir de mon quarante-sixième anniversaire, dans une librairie de la ville de Vincennes en France. Je te regarde, tu portes une chemise de soie couleur prune, tu lèves les bras et tisses les doigts derrière la tête et nous racontes les deux rues qui se croisent à angle droit dans ton village natal de Sunne, centre du monde, et la mort intempestive de ton père pasteur, origine de l'œuvre. C'était donc mon anniversaire et, plus tôt le même jour, tu m'avais dit:

«Je voudrais te donner un cadeau tout intérieur, impalpable, une chose d'autant plus indestructible qu'elle serait invisible» et je t'avais répondu: «C'est fait; depuis longtemps déjà, c'est fait.»

Je t'avais rencontré *la première fois* quelques jours avant mon quarantième anniversaire, alors que tu étais toi dans ta cinquante-septième année et te savais atteint d'une maladie grave, mortelle à plus ou moins brève échéance. (Je dis les dates, les âges, parce que ces faits sont le sol qu'il faut bien avoir sous les pieds si l'on veut danser, et c'est ce que nous avons fait, toi né à Sunne en Suède en 1937 et moi à Calgary au Canada en 1953, deux âmes jetées dans la provisoire existence humaine pour un temps limité et dont les trajectoires se sont, par hasard, par bonheur, croisées un jour à Montréal.) Ainsi l'amitié entre nous est-elle née dans l'ombre de la mort, cela se voyait dans tes yeux: la peur oui mais surtout l'urgence d'avoir à dire, vite, les choses essentielles, car la chaude haleine de l'oiseau noir te soufflait dans la nuque.

«Mais vous vous connaissiez donc à peine! disent parfois des tiers, interloqués par l'intensité de ce que j'éprouve pour toi. Vous vous êtes vus, quoi... cinq ou six fois en tout?!» Cinq ou six fois en six ans, oui: et pourtant ils ont tort: ce sont *eux* que je ne connais pas, même si je suis obligée de les côtoyer tous les jours. Toi je te connaissais à chaque instant de ces six années, et en amont par la grâce, extrême, des pages par toi écrites, et en aval jusqu'à ce que les dernières gouttes de ma mémoire s'écoulent, me laissant vase vide.

Voilà sept mois, presque huit maintenant, que tu es mort.

Ce soir-là je suis à la maison, les enfants sont couchés, je bavarde avec mon mari et un ami venu dîner, et puis, de façon incompréhensible, je quitte soudain la pièce à vingt-trois heures trente, délaissant la conversation pourtant animée, pour «prendre mes messages» sur le répondeur de mon bureau. J'entends la voix de ton fils — non sa vraie voix vivante, mais sa voix enregistrée le matin même: un fantôme, là encore — qui me demande de l'appeler.

Et je sais déjà. Je sais qu'il ne s'agit pas, cette fois, d'un infarctus. Je téléphone. Il est tard mais ta femme est près du télé- phone et quand elle décroche c'est pour prononcer, d'une voix atone, la phrase de trois mots à laquelle je m'attends, celle que j'ai si souvent entendue dans mon imagination et mes rêves (comme toi je vénère l'imagination et les rêves; *«Car c'est le privilège de l'homme: se retirer du temps et du lieu»*), mais je sais faire la différence entre ces choses et la réalité.

La simple phrase dit la simple vérité.

«Je n'arrive pas à le croire», dis-je, comme nous disons presque tous en pareille circonstance, quelle que soit notre répulsion pour les phrases banales et prévisibles. Et ta femme de me répondre: «*Moi* je n'arrive pas à le croire.»

Elle me dit *quand*: hier soir. Et *comment*: de façon artiste, à la maison, à table, avec elle et vos plus proches amis, au beau milieu d'une histoire, d'une phrase, entre deux rires, tu t'es esquivé comme un enfant qui se cache.

J'écoute ta femme en silence, puis elle cesse de parler et, un moment, nous restons suspendues ainsi, ensemble, dans le silence du ciel nocturne au-dessus du continent européen, reliées par cette ligne téléphonique entre Paris et Stockholm, sonnées, contemplant la même vérité incroyable (plus incroyable encore pour elle, qui partage ta vie depuis quatre décennies...).

Enfin, brisant le silence, elle promet de rappeler pour me dire la date et le lieu de tes funérailles; nous raccrochons; chacune revient à l'intérieur de sa maison et de sa tête... et c'est alors que sortent, comme pour chasser de mon corps cette phrase qui vient d'y pénétrer, les cris: non, non, non, dit ma voix toute seule, sans que je lui demande rien, non dit ma gorge, non dit mon estomac soulevé, non hurlent mes poumons, non proteste mon foie, mon pancréas, mes intestins... Mais la phrase est vraie. Sa vérité est pure et dure comme de l'or et c'est trop tard, elle est déjà allée se ficher telle une flèche d'or au milieu de mon cœur et je ne pourrai plus la déloger: tu n'es plus de ce monde.

(Il peut paraître insolite que je parle de ta mort avec une telle tranquillité, mais comment faire autrement? Il faudrait être monstrueusement égoïste pour vouloir le contraire: le prolongement de ta vie, plus de souffrance, plus d'angoisse, d'hôpitaux, d'examens, de dégradations, de conversations terrifiées à voix basse parmi tes proches... Non: chapeau, vraiment! Tu as réussi une mort aussi belle que ta vie, aussi respectueuse des autres.)

Et maintenant l'instant approche. J'ai pris un avion pour m'approcher de ton cadavre, je me dirige (avec deux Françaises qui s'appellent toutes deux Françoise, ça t'aurait fait rire) vers la Maria Magdalena Kyrka de Stockholm; chacune de nous tient à la main une seule fleur, c'est la coutume suédoise, et au moment *même* où nous entrons dans le jardin de cette belle église que je connais déjà, tout près de ta maison, une église chaleureuse massive et maternelle, décontractée, sans prétention, aux murs ocre jaune orange luisant chaudement dans la lumière déclinante de l'après-midi nordique, la neige se met à tomber.

«L'église était déjà illuminée, je suis resté debout dans la neige à regarder les lumières du bourg...» Les cloches sonnent. Oh c'est tellement important de prendre congé ainsi. Lentement. Tu aimais les mouvements lents. Faire ses adieux. Lentement mais sûrement. Pour qui sonne le glas. Ne demandez pas. Mais ce n'est pas un bruit funeste — un appel solennel, plutôt. Attention, disent les cloches. Il s'est passé quelque chose.

«J'allais faire un tour vers les tombes. La neige formait des congères le long des allées, le vent la chassait et recouvrait les pierres tombales...» Et, tournant le dos aux pierres tombales, à la lumière déclinante et aux flocons blancs qui tombent maintenant de plus en plus dru, nous entrons, moi et les deux Françoise, dans l'église où tu te trouves.

«La porte de l'église était lourde et difficile à

ouvrir, un instant je restai dehors, dans la neige, hésitant, avant de la pousser et d'entrer dans la grotte inondée de lumière...» L'église est déjà remplie de monde. Une atmosphère où se mêlent gravité, passion et efficacité. Des deux heures qui suivent, pas une seconde ne sera consacrée aux formalités creuses ni à l'hypocrisie ni aux épanchements hystériques, toutes choses fréquentes pendant les cérémonies d'obsèques. Non: car chacune des quelque deux cents personnes présentes, le curé y compris (c'est un de tes copains) est là pour te dire merci.

Herr, wenn ich nur Dich habe......................... chantons-nous, avec la musique de Schütz. Ah! que ne puissé-je *être* cette musique — me *faire, toute,* cette musique, à la beauté *immédiate,* sereine et tragique en même temps, qu'ensemble nous avons créée sentie vécue et entendue ce jour-là, pour toi! Épouser ce mouvement lent... Oui tu avais une préférence pour les mouvements lents: celui du *Concerto pour piano et orchestre* de Mozart, opus 26, figure dans plusieurs de tes romans. Et quand un de tes amis, un homme aux longs cheveux blancs et au visage rubicond, a joué au piano l'*Impromptu* en sol majeur de Franz Schubert, il y avait dans la caresse des touches par ses doigts trapus une tendresse inouïe, chaque note était amour et chaque note nous conduisait avec une douceur inexorable un peu plus loin de l'instant de ta mort, car ces notes étaient liées les unes aux autres dans le temps, de même que les corps sont liés les uns aux autres dans le temps, tu le savais bien, toi, que la beauté mortelle est la seule beauté, et le corps mortel, le seul corps, celui qui subit le temps et accepte d'avancer à travers lui, s'élançant vers l'autre, telle une note de musique, s'enlaçant avec l'autre en un accord pour se dérouler ensuite comme un arpège, se scander comme un poème, s'égrener comme un chapelet...

Et là, ce jour-là, dans l'orange et ocre Maria Magdalena Kyrka de Stockholm, sous la neige qui tombait dans la lumière déclinante de l'après-midi nordique, entouré par tes amis et les membres de ta famille, *tu étais présent*: non parce que ton corps (abîmé, mutilé, sans âme maintenant et embaumé, bientôt incinéré et ramené à Sunne sous forme de cendres et déposé par ton fils dans le jardin de la petite église où, chaque dimanche matin de ton enfance, avait prêché ton père) se trouvait dans le cercueil blanc sur lequel chacun de nous, tour à tour, à commencer par ta femme et votre fils, a déposé sa fleur... Non, tu étais présent dans le cœur aimant et la voix ardente et les joues luisantes et les yeux rouges et le sourire courageux de ces deux cents personnes venues là pour te célébrer, te remercier, t'inonder enfin d'un peu de la beauté dont, ta vie durant, tu nous avais inondés...

Herzlich lieb has ich dich, O Herr............ chantions-nous avec la musique de Bach, et si nous étions capables de faire revivre Bach et Schubert, combien plus facilement pouvions-nous sentir ta présence à toi, encore toute chaude et toute charnelle!

Pendant les deux jours qui ont suivi la cérémonie j'ai vécu à mon tour dans une maison de pasteur, celle de l'Église réformée de

France à Stockholm. J'y ai vécu avec toi enfant, toi jeune homme et homme mûr, toi mort et vivant, tes livres éparpillés autour de moi sur le lit, et je t'ai parlé comme je te parle maintenant, en toute proximité, en toute simplicité, bercée par le son des cloches et par la mélodie de tes phrases qui, à l'instar des notes de *l'Impromptu* de Schubert, reliaient les secondes aux secondes, le passé au présent et les morts aux vivants. Et je t'ai béni, Göran. J'ai béni en moi l'impalpable cadeau que tu m'avais fait, le même que fait le père à sa fille, le frère à sa sœur, l'amant à son amante, Jésus à Jean. J'ai béni celle qu'en moi tu avais reconnue et chérie. J'ai béni tous ceux que ta tendresse a transfigurés. Tous ceux qui ont ressenti la chaleur de ta présence dans une maison, dans une pièce, ceux qui ont goûté à un plat préparé et servi par tes mains, ceux que tes histoires ont plongés, subrepticement, dans des lacs rafraîchissants d'émotion.

Je ne sais pas si j'écouterai souvent ta voix sur bande magnétique, si j'appuierai souvent sur les boutons qui font résonner ton rire et restituent la couleur prune de ta chemise. Cela n'est pas très important: tu es *là*, de toute manière.

Une nuit récente, je suis entrée dans la pièce où gisait ton corps. Je te savais mort et pourtant, pensant dans le rêve à Marie et à Marthe, je me suis dit: peut-être consentira-t-il à apparaître devant moi et à me parler. Et de fait, tout en restant étendu sur ton lit de mort, tu es venu vers moi en souriant et tu m'as dit: «Ce n'est pas si effrayant, la mort, ça ne ressemble pas du tout à ce qu'on raconte, c'est même assez agréable...» Et, partant d'un grand éclat de rire, tu as ajouté, toi éternel séducteur devant l'Éternel: «Depuis mon arrivée, les anges se disputent mon âme!»

Nda : Hormis celles qu'accompagnent les musiques de Schütz et de Bach, toutes les citations proviennent du début du roman de Göran Tunström *L'Oratorio de Noël*, tr. fr. Marc de Gouvenain et Lena Grumbach, Actes Sud/Leméac, 1992.

Aline Tardif

présenté par Jocelyne Légaré

Un livre sur la mort s'écrit à même la vie, faite de désirs, de personnes dont les chemins se croisent, d'échanges entre ces personnes. La vie, donc, a mis sur mon chemin, alors que ce projet était bien entamé déjà, Aline Tardif. Aline Tardif est la mère de Marie-Hélène. Je l'ai rencontrée à un moment où on me demandait d'où surgirait l'espoir dans ce recueil traitant d'un sujet aussi sombre. Cette maman-là m'a parlé de sa fille avec une sérénité qui m'a bouleversée. Son texte extrêmement pudique reflète le travail de deuil d'une mère qui en quelque sorte poursuit le dialogue avec sa fille. Comment ne pas évoquer ce petit livre de Françoise Dolto où elle écrit:

«Mais si nous comprenons que, quelle qu'ait été la séparation, il y a toujours une continuation de communication avec les êtres aimés, entre des êtres qui se sont aimés — l'un est déjà mort et l'autre pas encore -, eh bien la communication continue, en tout cas du côté du vivant. Peut-être se trompe-t-il, mais elle continue. Non seulement elle continue, mais elle donne à ce vivant, si vraiment il a donné pleinement le droit de mourir à celui ou à celle qu'il aimait, une espèce de résurgence de force qui vient de la confiance dans la vie, qui avait été enrichie par le bonheur d'aimer ce vivant quand il était vivant, et de continuer à y penser avec amour, en ne sachant pas où il est, en sachant qu'il ou qu'elle est parti(e) dans le lieu où nous sommes attendus aussi. Il est en avance sur nous, c'est tout. Et lui donner cette liberté, lui donner ce droit d'être parti plus tôt... »[1]

1. Dolto, Françoise, *Parler de la mort*, collection «Le petit mercure», Mercure de France / Éditions Gallimard, 1998, p. 27-28.

Tu n'es pas venue pour rien...

Et si la vie était éternelle? Et si ce que nous appelons la mort était une porte qui s'ouvre sur une vie plus vaste? Et si les limites spatio-temporelles entre la vie et la mort étaient une illusion que nous nous sommes créée à cause de notre ignorance?

Peut-être que le chagrin serait un peu moins lourd et la douleur moins cuisante... Peut-être qu'au lieu de nous laisser mourir à demi en même temps que la personne aimée, nous pourrions vivre, après et en dépit de son départ, avec une ferveur accrue... Peut-être que nous tenterions de satisfaire ses vœux, de poursuivre un de ses rêves, afin qu'elle continue d'agir parmi nous...

Je ne vous demande pas de croire à cette vie autre, je dis seulement que la question se pose et que la mort de Marie-Hélène m'a éprouvée dans ma chair. Marie-Hélène est partie à 20 ans. Son bref passage sur terre a été une continuelle quête de sens. Par ses paroles et ses gestes, elle a toujours posé des questions, confronté l'ordre établi, cherché à savoir, à expérimenter les diverses facettes de sa vie. À travers elle, j'ai appris que chaque jour, la vie prend une saveur nouvelle et qu'elle doit être vécue intensément, passionnément.

Elle a voulu connaître les gens et le monde. À 18 ans, elle a choisi d'aller au Nicaragua afin de ressentir ce que c'est que de vivre dans la pauvreté. On ne laisse pas partir une enfant de dix-huit ans sans éprouver une certaine inquiétude. Pourtant, nous sentions qu'il fallait la laisser partir. Elle a su dès le début qu'elle aimait les gens de ce pays, leur sourire, leur beauté intérieure, leurs belles dents blanches, leur misère et leur vitalité comme des roses au milieu du chiendent. Les enfants, surtout. Avec Lorraine, une autre jeune fille de passage à Nandaïme, elles ont su tout de suite qu'elles voulaient prendre soin de ces petits enfants, à leur manière, à leur modeste manière. «Au début de la journée, ils étaient six, à la fin, ils étaient soixante», disait-elle presque incrédule.

C'était le début d'une aventure, son aventure à elle: fonder une garderie là-bas. Revenue au pays poursuivre ses études, elle devait retourner quelques mois plus tard passer Noël avec ses «petits». Cette fois, elle savait avec précision ce qu'elle voulait faire: ramasser des fonds pour créer une garderie qui, jusque-là, n'avait eu pour seul toit que la cime d'un arbre. Deux mois plus tard, la tête pleine de son projet et du souvenir des enfants qu'elle aimait, elle mourait dans un accident d'automobile. Une fois de plus, il a fallu la laisser partir... C'était infiniment plus difficile que la première fois.

Nous nous sommes unis, sa famille et ses amis pour fonder la *Guarderia Maria-Helena* qui offre aux enfants de Nandaïme un lieu pour jouer, pour apprendre, et qui permet aux adolescents de se rassembler pour confectionner des bracelets et des hamacs afin de payer leurs études.

Bien sûr, nous aurions préféré que les choses se passent autrement, mais ai-je besoin de vous le dire? Ce qui nous a supporté son père, ses deux frères et moi dans notre processus de deuil, c'était cela: une œuvre à poursuivre en son nom. L'amour que nous avons pour elle a trouvé un lieu d'expression et nous savons qu'à Nandaïme, elle continue d'être présente à sa modeste manière.

Merci Marie-Hélène, tu as ouvert nos cœurs et nos âmes...
Tu n'es pas venue pour rien.

Les enfants de la Guarderia Maria-Helena

Marie-Hélène Tardif

Notices biographiques

Anne-Marie Alonzo

Née à Alexandrie, elle vit au Québec depuis 1963. On lui doit vingt livres, dont *Bleus de mine* qui lui a valu le prix Émile-Nelligan en 1985. Elle a aussi remporté le Grand Prix d'Excellence artistique de Laval en 1992, pour *Galia qu'elle nommait amour*. Poète, auteure dramatique, traductrice et critique littéraire, elle est également cofondatrice et directrice des Éditions TROIS et du Festival de TROIS. Anne-Marie Alonzo a été reçue membre de l'**Ordre du Canada** en 1996.

Élisabeth Boileau

À neuf ans, elle recevait un prix littéraire canadien: dix ans plus tard, elle écrit toujours, voyage et est étudiante en médecine à l'Université de Montréal. Elle participe présentement à un projet de reportages sur les jeunes en Asie.

Serge Bouchard

Anthropologue et écrivain, il est l'auteur du *Moineau domestique* et de *L'homme descend de l'ourse*. Il a également publié, en collaboration avec Bernard Arcand, six recueils de «Lieux Communs» dont le plus récent: *Du pipi, du gaspillage et sept autres lieux communs* (Boréal, 2001). Serge Bouchard est animateur de l'émission de radio «Les chemins de travers» sur les ondes de Radio-Canada.

Denis Hirson

Né en Angleterre en 1951, de parents sud-africains, il a vécu en Afrique du Sud à partir de 1952 et a fait ses études d'anthropologie à l'Université du Witwatersrand (Johannesburg). En 1973, il quitte le pays et s'installe définitivement en France deux ans plus tard. Acteur, enseignant, il est aussi le traducteur d'un recueil de poèmes de Breyten Breytenbach en anglais et l'auteur d'une mosaïque de souvenirs sud-africains intitulée *La maison hors les murs*, parue aux éditions Autrement. Une anthologie de nouvelles sud-africaines, composée sous sa direction, est parue en Angleterre en 1994 C. Heinemann. Son anthologie *Poèmes d'Afrique du Sud*, en collaboration avec les traducteurs Katia Wallisky et Georges-Marie Lory, est parue chez Actes Sud en janvier 2001.

David Homel

Né à Chicago, où il a passé sa jeunesse, David Homel s'est installé à Montréal au début des années quatre-vingt. Ce romancier, qui est aussi professeur et traducteur, a déjà publié quatre romans chez Actes Sud / Leméac: *Orages électriques* (1991), *Il pleut des rats* (1992), *Un singe à Moscou* (1995) et *L'Évangile selon Sabbitha* (1999).

Nancy Huston

Née à Calgary en 1953, Nancy Huston vit à Paris depuis 1973 et écrit principalement en français. Derniers titres parus: *Prodige* (1999), *Nord perdu* (1999), *Limbes/Limbo Un hommage à Samuel Beckett* (2000). *Visages de l'aube* et *Dolce agonia* paraîtront en mars 2001 chez Actes Sud/Leméac.

Suzanne Jacob

Romancière et poète née au Québec, Suzanne Jacob a plusieurs livres à son actif, parmi lesquels *Laura Laur* (1983), *L'obéissance* (1991), *La bulle d'encre* (1997). Son dernier roman, *Rouge, mère et fils*, est paru en 2001 aux éditions du Seuil.

Luc LaRochelle

Avocat d'affaires dans un grand cabinet canadien, il est inscrit au programme de doctorat en études littéraires à l'Université de Sherbrooke. *Ada regardait vers nulle part*, son premier recueil de nouvelles, est paru aux éditions Les Herbes rouges à l'automne 2000. Ses textes ont aussi été publiés dans les revues *Mœbius*, *XYZ La revue de la nouvelle* et *Art Le Sabord*. Les Éditions du Silence publieront au printemps 2001 un livre d'artiste, intitulé *POSTURES*, dont il a signé les textes et dont Denise Lapointe a créé les estampes.

Jocelyne Légaré

Née à Montréal où elle a fait des études de lettres et de droit, elle a passé la majeure partie de sa vie active au sein d'une entreprise funéraire dont elle est présidente. Elle se pose depuis toujours des tas de questions sur la vie et sur la mort. Comme tout le monde.

Marie-Christine Lévesque

Une enfance à Pastébiac. Des études de lettres, un travail dans la pub. Un Prix Nobel de littérature (non décerné). Beaucoup de débuts, d'inachevés, une vie à tourner autour du sujet.

Patrick Lévy

Écrivain, il a étudié en profondeur les cinq grandes religions spirituelles: judaïsme, christianisme, islam, hindouisme et bouddhisme. Il est notamment l'auteur de *Dieu croit-il en Dieu?* (collection «Question de», Albin Michel, 1993), *Nous sommes tous des idolâtres* (collection «Le chêne de Mambré», Centurion Bayard Presse, 1994), *Dieu leur parle-t-il?* (Desclée de Brouwer, 1997), *Contes de sagesse* (collection «Horizons spirituels», Éditions Dangles, 2000). Il anime des rencontres inter-spirituelles.

Louise Mailhot

Née à Montréal, elle y a fait des études de linguistique et de droit. Avocate, puis juge à la Cour supérieure, elle est juge à la Cour d'appel du Québec depuis 1987 et vice-présidente de l'Union internationale des magistrats depuis 1994. Elle est l'auteure de deux ouvrages sur la rédaction judiciaire, *Écrire la décision* (1996) et *Decisions, Decisions... a handbook for judicial writing* (1998), publiés aux Éditions Yvon Blais (Montréal) et d'un collectif, *Traité de droit judiciaire comparé*, aux Éditions Schulthess (Zurich, 1999).

Sophie Massé

Elle aime les Lettres. Les Consonnes et les Voyelles. Elle a aimé les étudier. Depuis, elle s'amuse à les conquérir. En 1997, elle a obtenu le deuxième prix Arcade de l'écriture au féminin pour une nouvelle, *Poussin*. À titre de coauteur et d'assistante à la mise en scène, elle a participé à la création de *Ego*, de Martine Chagnon, au Monument National. Elle s'est aussi fait du cinéma. Pour le meilleur des mondes du sparage et de l'image, elle a choisi la publicité.

Catherine Mavrikakis

Née le 7 janvier 1961 à Chicago, elle vit à Montréal où elle enseigne la littérature à l'Université Concordia. Elle a publié en 1995 un essai, *La Mauvaise Langue*, aux Éditions Champ Vallon (France) et en 2000, *Deuils cannibales et mélancoliques*, son premier roman, aux Éditions TROIS.

Clément Payette

Né à Joliette d'une famille modeste, il entreprend en 1972, un doctorat en médecine à l'Université de Montréal. Diplôme en main, c'est en 1979 qu'il s'installe dans une petite communauté rurale où il pratique plusieurs spécialités dont l'obstétrique, les soins aigus et chroniques. En 1977, il épouse Diane Olivier et ils ont trois beaux garçons. Le 12 décembre 1998, Diane est tuée par un conducteur ivre. Depuis, tout en continuant à pratiquer la médecine, il participe activement et publiquement à la lutte contre l'alcool au volant.

François Roustang

Psychanalyste, François Roustang est sans doute celui qui, depuis vingt ans, s'interroge avec le plus de force critique sur le sens et les effets de l'analyse, dont le but doit être la guérison. Il est notamment l'auteur de *Qu'est-ce que l'hypnose?* et de *La Fin de la plainte*.

Aline Tardif

Trois fois mère et deux fois grand-mère, consécutivement enseignante et directrice d'école, elle a pris plaisir à contribuer au mieux-être des personnes que la vie a placées sur sa route. Elle est cofondatrice de l'Institut de Coaching International et formatrice pour la fondation Ralfor qui aide des jeunes adultes démunis à se réaliser.

Laurent-Michel Vacher

Enseigne la philosophie au Collège Ahuntsic. Est également l'auteur de plusieurs livres de philosophie.

Marie-Claude Verdier

Chien dans l'astrologie chinoise, elle adore ces petites bêtes et leur pendant primitif, les loups. Vient de la petite ville de Saint-Jérôme dans les Laurentides. A étudié en Arts et Lettres au Collège Jean-de-Brébeuf. Pensait devenir archéologue mais aimerait bien être dramaturge finalement. Aimerait visiter l'Europe de la cave à vins au grenier à blé. Se passionne pour l'Histoire et le Cinéma. Pense résolument que la vie devrait être vécue plus lentement mais avec frénésie...

Table des matières

Table des illustrations